TRADUIRE

POUR UNE PÉDAGOGIE DE LA TRADUCTION

Frontispice : Translation, *dessin spécialement exécuté pour cet ouvrage par Peter Kolisnyk.*

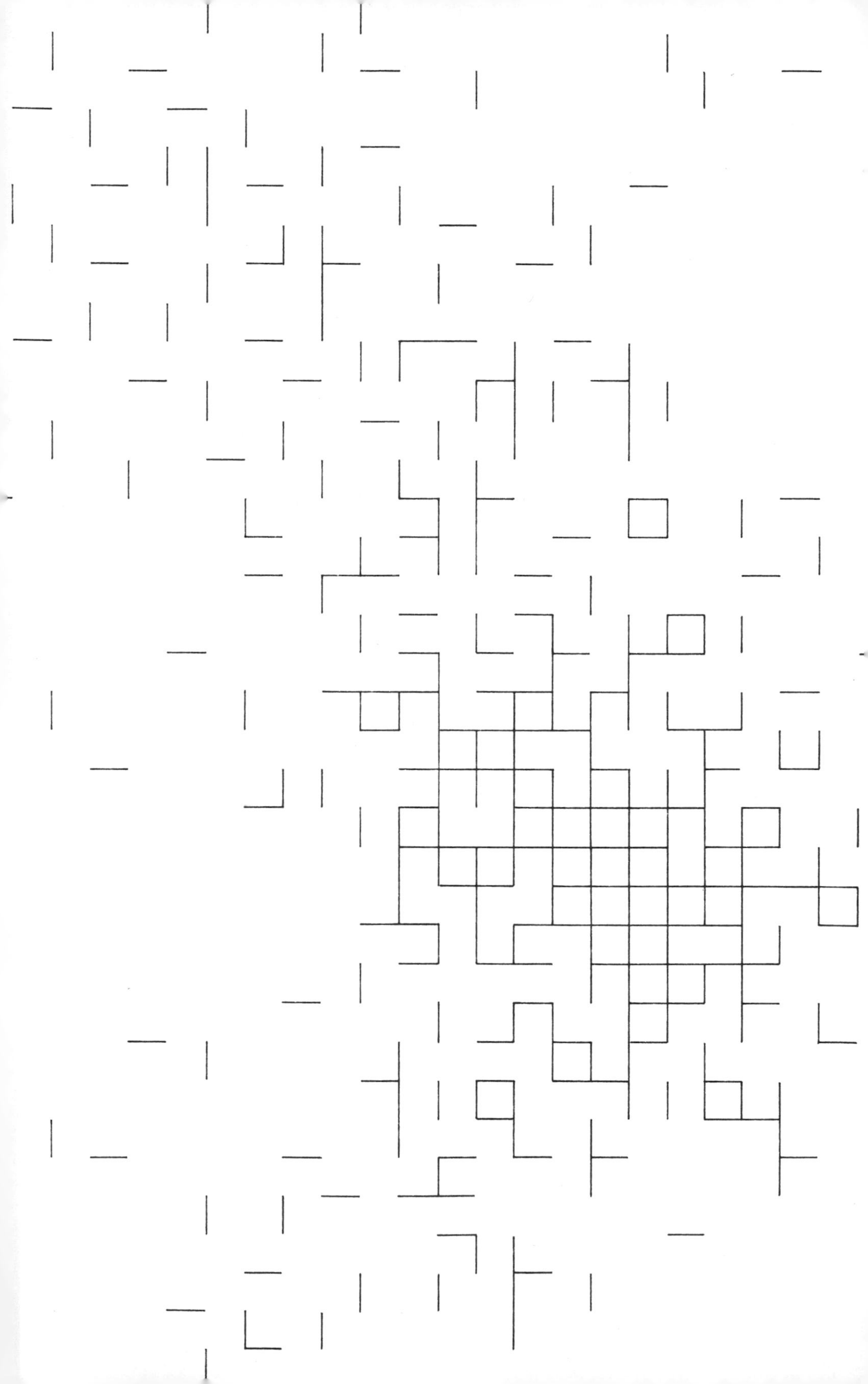

Claude Tatilon

TRADUIRE

POUR UNE PÉDAGOGIE DE LA TRADUCTION

Préface de Georges Mounin
Frontispice de Peter Kolisnyk

Collection Traduire, Écrire, Lire

Toronto
Éditions du GREF
1986

Saisie du manuscrit (sur Apple IIe, à l'aide du système de traitement de texte Gutenberg) : Alain Baudot, Ysolde Nott, Claude Tatilon.
Établissement et préparation de la copie : Alain Baudot.
Lecture et correction des épreuves : Alain Baudot, Laure Baudot, Ysolde Nott, Michelle Wilson.
Conception graphique et maquette : Gerard Williams.
Composition : Accurate Typsetting, Markham.
Impression et brochage : Imprimerie Gagné, Toronto.

Imprimé au Canada.
Dépôt légal : Bibliothèque nationale du Canada, 1er trimestre 1987.
ISBN : 1-55014-009-4.

Collège Glendon, Université York
2275, avenue Bayview
Toronto (Ontario)
Canada M4N 3M6

À Albin.

PRÉFACE

Tout le monde le sait, pendant longtemps, la traduction — au moins la littéraire — a été une sorte de hobby, un passe-temps ou une passion, ou une vocation ; de plus, peu considérée. Ceci n'a pas empêché de grands traducteurs, Cicéron, saint Jérôme, Oresme, Étienne Dolet, Joachim du Bellay, Luther, etc., de nous laisser, sur cet exercice, des réflexions qui sont encore à relire aujourd'hui. Le dernier de ces grands dilettantes a sans doute été Valery Larbaud.

Le temps des traductions sans obligation ni sanction a donc duré des siècles et nous a valu nombre d'écrits pleins d'intuitions, de finesses, et de décousu. Puis, peu à peu, l'histoire et la philologie sont devenues plus exigeantes d'une part ; et, d'autre part, les relations entre les langues ont foisonné : ç'a été le temps de la naissance des écoles de traducteurs et d'interprètes. L'occupation, souvent occasionnelle auparavant, est devenue métier, profession, qualification.

*Paradoxalement, pendant la première moitié du XX*e *siècle, le développement de ces écoles n'a pas été accompagné par une activité pédagogique visible. Certes, quelques écoles ont publié leurs programmes. Mais la substance des cours semble être restée longtemps confidentielle. Tout se passait comme s'il fallait garder le secret de cet artisanat supérieur, lequel par ailleurs était aussi considéré comme un art, difficile à transmettre explicitement. L'apprentissage de la traduction devait se faire sur le tas, dans la pratique. Ne surnageaient à l'épreuve que ceux qui se révélaient avoir le don. Longtemps la résistance larvée des praticiens a été nourrie d'objections liées à ce courant d'idées, qui vit encore.*

Mais l'intensité des communications internationales dans la seconde moitié du XXe siècle a contraint les spécialistes, en face d'auditoires souvent universitaires de plus en plus larges, à venir sur le terrain d'une réflexion théorique. Si l'expression « méthode de traduction » est née voici plus de trente ans sous la plume de Vinay et Darbelnet, l'expression « pédagogie de la traduction » n'a guère qu'à peine quinze ou vingt ans.

On peut dire à cet égard qu'on tâtonne encore. Il y a bien quelques travaux, clairsemés, que Claude Tatilon cite, sans lésiner. Et il a raison, car sa méthode de traduction prend place avec honneur dans cette première génération véritable d'enseignants de la traduction.

Son ouvrage est clair, sans aucune prolixité, ni littéraire, ni technique, ni terminologique — et c'est un grand bon point par nos temps d'inflation verbale. Ainsi, son recours aux connaissances linguistiques les plus actuelles et les plus sûres est solide mais discret : ce n'est pas non plus un mince éloge. D'autre part, il est sobrement pédagogique, c'est un vrai livre d'enseignant baigné dans le concret, fait pour de vrais étudiants. Plutôt que de longues dissertations théoriques abstraites, l'auteur a eu le courage scientifique de n'écrire que pour ses utilisateurs. De grandes parties dont la logique est cohérente, des chapitres brefs, sans fioritures. Et surtout, partout, des exemples bien choisis. Puis des sommaires limpides et succincts. Enfin des applications, c'est-à-dire des exercices en grandeur réelle, qui devraient stimuler quiconque a choisi de devenir traducteur à part entière. Devant ce petit livre, on pense au conseil de Valery Larbaud, qui disait : « Quand j'achète un dictionnaire de langue étrangère, je le porte au relieur, je le fais débrocher pour qu'il intercale une page blanche, ou deux, entre deux pages imprimées, afin d'y ajouter mes notes personnelles, avant de le donner à relier définitivement. » Si j'étais encore étudiant, je ferais le même sort au manuel de Claude Tatilon.

Sa conclusion mérite d'être signalée. Elle s'insère dans un courant jeune, et très justifié : celui de la réhabilitation de l'exercice de la version (si honni), pour les étudiants avancés de langue étrangère. Je souhaite que les professeurs de langues vivantes y trouvent des raisons de renforcer rationnellement une conviction qu'ils ont toujours eue — celle que la version est un exercice enrichissant quand il n'est pas prématuré.

Les pages de Claude Tatilon nous permettent de mesurer combien nous sommes loin de Diderot, qui résumait de la sorte l'opinion générale sur la traduction jusqu'à la fin du XVIIIe *siècle, avec un humour qui n'est plus de mise : « Il n'est pas nécessaire de comprendre une langue pour la traduire, puisqu'on traduit seulement pour ceux qui ne la comprennent pas. »*

Georges MOUNIN.

REMERCIEMENTS

Il convient de souligner ici les aides diverses dont j'ai pu bénéficier pour l'élaboration du présent manuel.

En tout premier lieu, mes dettes intellectuelles. Je me suis naturellement appuyé sur tous les travaux connus de moi qui m'ont paru importants pour la pédagogie de la traduction ; presque tous figurent à la bibliographie. Au centre de ces travaux, ceux, essentiels, de Georges Mounin — les cinq cités mais aussi ses nombreux autres écrits concernant la traduction, la linguistique, la critique poétique, la sémiologie. C'est à lui, éminent érudit, dévoué pédagogue, que je dois mon initiation à la linguistique et, en grande partie, mon goût pour la traduction — théorie, pratique et enseignements confondus. Qu'il en soit très chaleureusement remercié.

M'ont été aussi très précieuses les nombreuses suggestions dont m'ont gratifié mes collègues Christine Klein-Lataud, Philippe Bourdin et Alain Baudot. À ce dernier, fondateur et directeur du G. R. E. F., revient encore le mérite de l'aspect définitif de l'ouvrage, dont il a préparé le manuscrit avec beaucoup de patience et de talent.

En outre, *Traduire* doit beaucoup à une généreuse subvention du Conseil de recherches en sciences humaines du Canada : mes travaux personnels en ont largement profité.

Enfin — *last but not least*, comme il est courant de dire dans l'autre langue — le dialogue permanent avec mes étudiants m'a permis, au cours des dix dernières années, de préciser les vues exposées. « Sans eux le présent ouvrage n'aurait pu voir le jour » n'est pas, en l'occurrence, une vaine formule : c'est avec eux qu'il s'est fait, c'est à eux, et à leurs cadets, qu'il s'adresse d'abord.

Cl. T.

INTRODUCTION

APPRENDRE À TRADUIRE, APPRENDRE LES LANGUES

Ce livre voudrait répondre aux besoins des élèves-traducteurs des écoles de traduction, comme à ceux des étudiants en langues vivantes. Les premiers devraient avoir peu de doute sur l'utilité d'un examen approfondi de l'acte de traduction. Les seconds, en revanche, et leurs professeurs, engagés dans la voie d'une pédagogie nouvelle, trouveront sans peine des objections à un tel examen.

Il est vrai, l'effort qu'un apprenant doit faire pour se soustraire au despotisme de sa langue maternelle, pour acquérir de nouvelles habitudes linguistiques et pour assurer une bonne étanchéité des deux systèmes concurrents, cet effort, long et difficile, se trouve entravé par tout recours à la langue maternelle, qui retarde la « repensée » dans la langue apprise. Mais il n'est pas moins vrai qu'il est utopique, lors de l'apprentissage d'une autre langue, de prétendre se passer de tout rapprochement avec sa propre langue. De tels rapprochements sont naturels, fréquents et, pour tout dire, inévitables. Alors, pourquoi ne pas essayer, plutôt, de tirer profit de la situation ?

Par ailleurs, la traduction est une activité suffisamment diverse pour que, dès le seuil de ce livre, quelques distinctions s'imposent.

Dans une étude souvent citée, Roman Jakobson, qui examine avec beaucoup de recul le concept de traduction, propose un vaste élargissement du domaine, qu'il divise en trois secteurs :

- la *traduction intralinguale* ou reformulation ;
- la *traduction interlinguale* ou traduction proprement dite ;
- la *traduction intersémiotique* ou transmutation[1].

1. Roman Jakobson, « Aspects linguistiques de la traduction », *Essais de linguistique générale* (traduit de l'anglais et préfacé par Nicolas Ruwet, Paris, Éd. de Minuit, 1963), p. 78-86. (Dans le corps de l'ouvrage, les références bibliographiques sont présentées d'abord sous leur forme complète, lors de leur première apparition ; ensuite, sous une forme abrégée. Elles sont reprises au long dans la **Bibliographie récapitulative**.)

À l'évidence, seul le deuxième secteur, celui de « la traduction proprement dite », intéresse la présente étude. Cependant, même ainsi resserrée, la notion demeure trop vague car la pratique impose de nouvelles distinctions :

- *traduction écrite* et *traduction orale* (ou interprétation), qui sont certes proches parentes mais exigent, par les qualités qu'elles requièrent de leurs exécutants, des pédagogies distinctes (comme le suggère le nom de la plupart des écoles professionnelles, dites *de traducteurs et d'interprètes*) ;
- *traduction pédagogique* et *traduction professionnelle* (et, au sein de cette dernière, une autre distinction entre *traduction pragmatique* et *traduction artistique*).

Bien que ces distinctions reflètent la réalité, et soient utiles à plus d'un égard, elles n'intéressent que de très loin notre étude qui se donne pour objet *l'acte de parole de la traduction* et l'observe sous des angles divers :

- celui de l'expérience humaine ;
- celui des structures linguistiques ;
- celui du style.

La traduction, par la réflexion approfondie à laquelle elle convie et par la prise de conscience à laquelle elle donne lieu, nous semble offrir un poste d'observation privilégié pour l'étude du *fonctionnement de la communication humaine*.

Posons alors la question : la traduction, exercice scolaire pernicieux ? Beaucoup l'ont prétendu. Non sans raisons, admettons-le. Nous restons cependant persuadé que cet exercice, s'il est « raisonné » et s'il arrive à son heure — aux niveaux intermédiaire et avancé d'un enseignement de langue vivante — peut être bien plus qu'un utile révélateur d'interférences et qu'un commode moyen de contrôle : il peut être, surtout, *un très efficace instrument d'acquisition de connaissances, linguistiques et culturelles*.

Ce sont quelques-unes de ces connaissances que nous voulons mettre ici à la disposition des apprenants de langue comme à celle des élèves-traducteurs, dans l'idée qu'ils pourront les uns et les autres les utiliser dans leur pratique scolaire comme on utilise un *équipement technique*, un peu à la manière d'un joueur de golf qui, tout au long d'un parcours, tire chaque fois de son sac le club qui convient le mieux au coup à exécuter.

*
* *

Les chapitres du livre sont composés : d'une partie explicative, terminée par un sommaire, d'exercices d'application et de suggestions de lectures (indiquées le plus souvent par ordre d'importance).

On trouvera à la fin de l'ouvrage un index des noms cités, un index des principaux termes techniques utilisés, ainsi qu'une bibliographie récapitulant les références pertinentes au domaine qui sont données dans les différents chapitres.

En terminant, précisons que si *Traduire : pour une pédagogie de la traduction* s'adresse en priorité à des étudiants, ce qu'il tente de leur apprendre sur l'acte de traduction ne devrait pas être dénué d'intérêt pour nos collègues, les traducteurs professionnels, qui seraient désireux de prendre quelque recul par rapport à leur pratique quotidienne ; puissent-ils trouver dans cet ouvrage certaines remarques, certaines références pour satisfaire leur légitime curiosité.

PREMIÈRE PARTIE

PROBLÈMES AU NIVEAU DE L'EXPÉRIENCE HUMAINE

Des difficultés de traduction peuvent surgir à un premier niveau : celui de la compréhension des réalités extra-linguistiques (les référents, *dans la terminologie des linguistes) qui sont dénotées par le texte de départ. Il n'est pas rare, en effet, qu'un traducteur soit dérouté par l'étrangeté de contenu d'un texte à traduire. Il s'agit alors, le plus souvent, de connaissances techniques qui lui échappent ou de réalités socioculturelles qui ne lui sont pas familières. Dans les deux cas, il aura pour devoir de s'informer ou, comme l'on dit plus couramment dans le métier,* de se documenter.

Ce sont ces difficultés qui sont examinées dans les chapitres II (« Les difficultés socioculturelles ») et III (« Les connaissances techniques »). Quant au chapitre premier, plus général (« Qu'est-ce que traduire ? »), il fait d'emblée le point sur la notion cardinale d'information textuelle, *qui est le véritable pivot de l'ouvrage.*

CHAPITRE PREMIER

Qu'est-ce que traduire ?

On peut répondre à cette question en termes très généraux : traduire, c'est reformuler un texte dans une autre langue, en prenant soin de conserver son contenu.

Deux autres questions viennent alors à l'esprit : qu'est-ce, au juste, que le contenu d'un texte ? Et comment peut-on le conserver ?

Essayons de répondre tout de suite à la première de ces questions et, pour ce faire, donnons à l'expression « contenu d'un texte » le sens très étroit d'information référentielle, c'est-à-dire de renvoi ou de référence au monde extérieur, au vécu, à l'expérience humaine. Ainsi, pour cette exclamation du chanteur-poète Gilles Vigneault :

> Qu'il est difficile d'aimer !
> Qu'il est difficile [...].

dirons-nous que la référence au vécu est limpide et que, si nous désirons neutraliser l'expression, la « déverbaliser », pour mieux en isoler le contenu, cette référence peut se formaliser ainsi :

« amour » ⟷ « difficile »

(la flèche à double pointe indiquant ici l'étroite solidarité des deux signifiés) ?

À notre tour, proposons d'autres formulations de ce même contenu :

> Ah, c'est difficile d'aimer !
> Aimer, c'est bien difficile.
> Difficile d'aimer, hein ?
> Aimer ? Difficile !

Facile, en revanche, serait la poursuite du jeu de la paraphrase (reformulation d'un énoncé dans une même langue, avec conservation de son information référentielle) : l'amour est toujours compliqué, l'amour n'est jamais simple... Cela produirait de nouvelles variantes qui contiendraient la même information référentielle, le même invariant sémantique.

Mais laquelle de ces variantes choisir, si nous avions par exemple à traduire la phrase suivante :

> *How difficult it is to love!*

à l'intérieur d'un contexte ? On admettra sans doute que, toutes variantes égales par ailleurs, l'une d'entre elles sera vraisemblablement mieux adaptée au contexte, qu'elle conviendra mieux que les autres au « ton », au « registre » du passage dans lequel elle devra s'insérer.

Et nous voilà amené à élargir le contenu d'une dimension contextuelle et stylistique. En effet, si cette notion renvoie toujours (et prioritairement, dans la plupart des cas) au monde de l'expérience, elle ne se limite jamais à la seule représentation de ce monde. Bien au contraire. Tout texte présente un contenu dont l'information est hautement diversifiée[1].

1. Le terme *information* est employé ici au sens courant de « contenu », d'« ensemble de renseignements » — non au sens technique qu'il a en théorie de la communication.

Cette *information textuelle diversifiée*, nous l'analysons ci-dessous en quatre types distincts[2].

1. **L'information référentielle** (ou information concernant le monde extérieur dénoté)

Toujours existant, ce type d'information est prédominant dans la quasi-totalité des textes, textes littéraires compris. « Chargés de sens " par le péché des siècles ", écrivait judicieusement Gustave Lanson, les mots ne se vident pas si facilement qu'on croit de toute notion intelligible. Les mots sont des signes d'idées, des outils intellectuels ; depuis leurs plus lointaines origines, parlés ou écrits, sonores ou visibles, ils signifient. [On] ne peut pas les vider [...] de la pensée humaine qui s'y est depuis tant de siècles incorporée[3]. »

C'est cette information que, dans la terminologie des fonctions du langage, les linguistes désignent par : fonction représentative (Bühler, Troubetzkoy), fonctions référentielle, cognitive, dénotative (Jakobson), fonction informative (Nida)[4].

2. **L'information pragmatique** (ou information concernant le discours du texte)

Il s'agit cette fois d'une information — toujours inscrite dans les textes eux-mêmes — relevant de leur utilisation pratique et des relations inter-personnelles intéressant auteurs et lecteurs, ainsi que leurs différents personnages[5].

2. Ce qui suit a été publié sous une forme plus élaborée, sous le titre « La traduction du style », dans la revue *Multilingua* (Amsterdam), vol. 3, n° 1, 1984, p. 3-9.

3. Gustave Lanson, « Stéphane Mallarmé », *Revue universitaire*, vol. 2, 1893, p. 121-132.

4. Voir ci-dessous, **Suggestions de lectures**, les références concernant « les fonctions du langage ».

5. « La pragmatique ? Une discipline jeune, foisonnante, aux frontières floues... » C'est par ces mots que commence le livre de Françoise Armengaud, *La Pragmatique*, n° 2 230 des précieux « Que sais-je ? ». En 128 pages, ce petit livre récent (août 1985), constitue une excellente mise au point sur cette discipline difficile à classer.

Il y a lieu de faire ici une quadruple distinction :

a) **L'information générique concernant le type du texte.**

Tout texte présente des caractéristiques génériques évidentes, qui permettent sa description typologique. C'est, d'abord, son *domaine* : texte administratif, commercial, technique, journalistique, littéraire... Ensuite, son *genre* : rapport, circulaire, éditorial, préface, petite annonce... Enfin, sa *finalité* ou intention dominante : informer, démontrer, convaincre, séduire, inciter...

Cette première information pragmatique, certes la plus superficielle, n'est cependant pas sans importance pour la compréhension d'un texte.

b) **L'information identificatrice provenant de l'émetteur.**

Le texte est-il signé ou anonyme ? Le signataire est-il célèbre ? À quoi doit-il sa célébrité ? Quelle est son attitude vis-à-vis des référents dénotés : neutralité ou engagement ? À propos de cette dernière question, la linguistique parle de : fonction expressive (Bühler, Troubetzkoy, Jakobson, Nida), fonction émotive (Jakobson), fonctions identificatrices (Léon).

c) **L'information incitative dirigée vers les lecteurs**.

Ce sont, cette fois-ci, les multiples réactions que le texte cherche à produire sur ses lecteurs. Fonction appellative (Bühler, Troubetzkoy), fonction conative (Jakobson), fonctions impérative et émotive (Nida), fonction incitative (Reboul), fonctions impressives (Léon) : ici encore, les étiquettes foisonnent.

N. B. Ces effets ou « appels » du texte se distinguent de sa finalité en ce qu'ils sont variés et disséminés, alors que cette dernière est généralisée et commande sa stratégie d'ensemble.

d) **L'information situationnelle concernant la distance sociale** (entre l'auteur et ses lecteurs, entre les différents personnages).

C'est ce qu'il est convenu d'appeler les *registres* ou les *niveaux de langue* ou *de langage*. Il est habituel, à partir d'un registre non marqué pris pour référence, de dénombrer plusieurs autres registres, étagés de part et d'autre de la référence, ceux de l'« affectation » et de la « mondanité », ceux de la « familiarité » et de l'« intimité ».

Nous proposons l'échelle suivante :

registre guindé
registre soigné
REGISTRE COURANT
registre familier
registre intime[6].

3. **L'information dialectale** (ou information concernant la langue du texte)

En traversant l'espace, le temps et les communautés qui les utilisent, les structures d'une langue se chargent d'un surcroît de sens, de nuances sémantiques qui viennent s'ajouter à leurs signifiés (lexicaux ou grammaticaux). C'est ainsi qu'un texte peut aussi communiquer à ses lecteurs une information supplémentaire — diachronique, géographique, socioculturelle — concernant la langue qu'il utilise.

a) **L'information diachronique**.

Il existe des structures archaïques, comme « sucrées par l'âge » (**derechef**, **nonobstant**, **faire florès**, **fais ce que voudras**), que les textes emploient de manière uniforme lorsqu'ils appartiennent à un état ancien, ou de manière contrastive lorsqu'ils en tirent, par opposition avec le contexte, des effets d'anachronisme. De même, il existe des structures néologiques, susceptibles elles aussi d'effets stylistiques.

6. Nous avons renoncé à un registre *vulgaire*, parce que la vulgarité et sa contrepartie, la politesse, nous semblent constituer des sous-codes langagiers susceptibles d'apparaître à tous les niveaux de différenciation situationnelle : tel snob, au parler guindé, émaillera son discours de mots grossiers, articulés avec une grâce affectée ; telles confidences, des plus intimes, seront empreintes d'une charmante politesse (voir par exemple les vers de Ronsard cités plus bas à la rubrique **Applications**, p. 16). De même, nous avons renoncé à un registre *populaire*, qui aurait encouragé la confusion entre situations de communication et classes sociales.

b) **L'information géographique.**

Les structures d'un texte peuvent encore indiquer ses origines géographiques (africanismes, belgicismes, canadianismes, gallicismes, helvétismes, par exemple, pour le français).

c) **L'information socioculturelle.**

Cette dernière information dialectale est celle qui provient soit des groupes sociaux, professionnels ou non (le parler des cercles sportifs, militaires, des partis politiques, des communautés scolaires ; les terminologies techniques, scientifiques, les jargons professionnels), soit d'un usage artistique de la langue (les vocabulaires dits « poétiques », fossilisés dans des codes culturels : **ris / pleurs**, **onde / flots**, **nues / nuées**, **cavale**... ; les créations lexicales, celles de la littérature, de l'humour, de la publicité : **patrouillotisme**, créé par Rimbaud, ainsi que les centaines de mots-valises en vogue aujourd'hui).

4. **L'information stylistique** (ou information concernant l'écriture du texte)

Ce dernier type d'information, sans doute le plus délicat à cerner, trouve son origine dans des effets spéciaux produits par l'écriture du texte. Cette dernière, ainsi que ces effets, sont à définir avec soin. Ils seront examinés en détail aux chapitres VI et VII.

Reste la question initialement posée de la conservation de l'information textuelle. Ce sont tous les chapitres suivants qui l'envisagent et qui proposent des solutions, en particulier le VIIIe, qui traite du *principe d'équivalence informationnelle*.

SOMMAIRE

• Traduire est une opération qui a pour but de fabriquer, sur le modèle d'un texte de départ, un texte d'arrivée dont l'*information* soit — dans chacun de ses aspects : référentiel, pragmatique, dialectal, stylistique — aussi proche que possible de celle contenue dans le texte de départ.

APPLICATIONS

1. Exercices de paraphrase

Dans notre activité quotidienne de sujets parlants, la paraphrase est courante et spontanée : nous l'utilisons aussi bien pour la production de nos propres énoncés que pour la reconnaissance de ceux provenant de nos interlocuteurs. « Tout le monde s'accorde à reconnaître que la capacité au paraphrasage manifeste la maîtrise de la langue[7]. » Cette pratique « intra-traductionnelle » commune mérite donc qu'on lui consacre quelques exercices. En voici quelques-uns de possibles :

a) **Faire trouver** (puis commenter) **plusieurs phrases exprimant un même invariant sémantique**. Par exemple, **lui + venir = certain.**

Il viendra, c'est certain.
C'est certain, il va venir.
Certain, il va venir.
Sa venue ne fait aucun doute.

b) **Faire inventer des titres de journaux** annonçant tel événement sensationnel. Par exemple, « le refus de l'Union soviétique de participer aux Jeux olympiques de Los Angeles ».

c) **Proposer plusieurs variantes** pour un passage « neutralisé » en contexte. Par exemple, le passage mis entre crochets ci-dessous :

Premier volume d'une série sur le cinéma américain, ce livre couvre la période des années cinquante *[qui être décisive dans l'histoire du cinéma américain et indiquer la fin de la grande période hollywoodienne]. Il se présente sous la forme d'un dictionnaire proposant des analyses détaillées...

7. Catherine Fuchs, *La Paraphrase*, Paris, Presses universitaires de France, coll. Linguistique nouvelle, 1982, p. 93.

☐ qui a été décisive dans l'histoire de ce cinéma et a marqué la fin...

☐ ... et a marqué le terme de la grande aventure hollywoodienne.

☐ qui, décisive..., a marqué le terme...

Parmi les paraphrases obtenues, on choisira celle s'intégrant le mieux au contexte, compte tenu des destinataires, du genre et du registre du texte.

d) **Proposer plusieurs traductions d'un texte court**, puis faire évaluer les variantes en fonction du contexte. Par exemple :

Old Wave, Thank Goodness!

[...] Its guardians of the French language, the old, cautious Immortals of the Académie française are still slowly compiling the ninth edition of the Great Dictionary [...].

Pour le titre, on pourrait avoir :

Ancienne vague, Dieu merci !
Vive les vieilles lunes / barbes / noix !
Les vieilles... à l'honneur.
Béni soit le bon vieux temps...

(Voir l'article de Robert Jeantet Fields cité plus loin dans nos **Suggestions de lectures**.)

2. Exercices d'analyse de l'information textuelle

a) L'information pragmatique.

Soit l'énoncé :

Moi, je fais où on me dit !

qui est le texte d'une affiche présentant la photographie d'un chien de belle race, placardée dans plusieurs grandes villes de France (où les excréments canins sont une source importante de pollution).

i) On fera d'abord déduire le *genre* de cet énoncé : il s'agit d'un *slogan publicitaire* pour une campagne dont la stratégie discursive — inciter les citadins à la propreté — ne peut échapper à personne.

ii) Ensuite, préciser l'*émetteur* : l'auteur, rédacteur anonyme, laisse la parole à son personnage, un chien modèle, bien élevé.

iii) Noter aussi l'*appel aux lecteurs*, qui prend la forme d'une recommandation : dressez votre chien aussi bien que celui de l'affiche.

iv) On fera enfin repérer le *registre*. Pour caractériser le personnage du brave toutou, le texte présente en effet trois indices de familiarité (légère) : les deux ellipses, **faire** (ma crotte) et **on me dit** (de la faire), et l'hiatus, **où** (l') **on**.

b) **L'information dialectale**.

Il ne serait pas difficile de faire relever des indices diachroniques et socioculturels, par exemple, dans quelques vers de Ronsard :

> Quand hors de tes lèvres décloses,
> Comme entre deux fleuris sentiers,
> Je sens ton haleine de roses,
> Les miennes, les avant-portiers
> Du baiser, se rougissent d'aise,
> Et de mes souhaits tous entiers
> Me font jouir, quand je te baise[8].

Ou dans telle chanson célèbre de Georges Brassens :

> J'ai plaqué mon chêne
> Comme un saligaud,
> Mon copain le chêne,
> Mon *alter ego*,

8. Pierre de Ronsard, « Baiser », poème extrait des *Amours de Cassandre*, dans *Les Amours (Amours de Cassandre, Amours de Marie, Sonnets pour Astrée, Sonnets pour Hélène, Amours diverses)*, texte établi par Albert-Marie Schmidt, préface et notes de Françoise Joukovsky, Paris, Gallimard, coll. Poésie, 1974, p. 141.

On était du même bois
Un peu rustique, un peu brut,
Dont on fait n'importe quoi
Sauf, naturell'ment, les flûtes[9]...

Tout exercice de traduction devrait commencer par ce type d'analyse, qui constitue un moment important de la lecture d'un texte de départ (voir plus bas, au chapitre IX, ce qui est dit à ce propos).

9. Georges Brassens, *Auprès de mon arbre*, dans *Poèmes et Chansons*, Paris, Éd. musicales 57, 1973, p. 89.

SUGGESTIONS DE LECTURES

• Sur la paraphrase, lire la convaincante étude de Catherine Fuchs, *La Paraphrase* (Paris, Presses universitaires de France, coll. Linguistique nouvelle, 1982), qui pose que « Savoir parler (une langue), c'est savoir produire et identifier des paraphrases ». Cette étude — qui, très curieusement, ne mentionne la traduction qu'à deux ou trois reprises — explique avec clarté tout le parti que la pédagogie des langues peut tirer de cette « activité métalinguistique spontanée des sujets en situation ».

Lire aussi, de Robert Jeantet Fields, « Un retour à la traduction comme moyen d'étude », dans la *French Review* de février 1983, vol. 56, n° 3, p. 456-459.

• Les études concernant les fonctions du langage présentent un intérêt certain pour l'analyse du contenu informationnel. Quelques titres importants : Karl Bühler, *Sprachtheorie* (Stuttgart, Gustav Fisher Verlag, 1965 [Iéna, 1934]) ; Frédéric François, « Le langage et ses fonctions », dans *Le Langage* (volume publié sous la direction d'André Martinet, Paris, Gallimard, coll. Encyclopédie de la Pléiade, 1968), p. 3-19 ; Roman Jakobson, « Linguistique et poétique », *Essais de linguistique générale* (traduit de l'anglais et préfacé par Nicolas Ruwet, Paris, Éd. de Minuit, coll. Points, 1963), p. 209-248 ; Pierre R. Léon, *Essais de phonostylistique* (Montréal / Paris / Bruxelles, Didier, 1971) ; *id.*, « Modèles et fonctions pour l'analyse de l'énonciation », *Le français dans le monde*, 145, mai-juin 1971, p. 54-59, 69 ; Georges Mounin, « Les fonctions du langage », *Word*, vol. 23, n°s 1-2-3, avr.-août-déc. 1967, p. 396-413 ; Eugene A. Nida, « Translating Means Communicating: A Socio-linguistic Theory of Translation », dans *Linguistics and Anthropology* (Georgetown [Washington, É.-U.], Georgetown University Press, 1977), p. 213-229 ; Nicolas S. Troubetzkoy, *Principes de phonologie* (traduit de l'allemand par J. Cantineau, Paris, Klincksiek, 1949).

• Excellente mise au point sur une discipline encore mal définie, le livre de Françoise Armengaud, *La Pragmatique* (Paris, Presses universitaires de France, coll. Que sais-je ?, 1985).

CHAPITRE II

LES DIFFICULTÉS SOCIOCULTURELLES

Malgré les nombreux caractères que nos sociétés ont en commun (nous habitons tous la même planète, nous sommes tous des animaux humains, nous vivons tous en société[1]) et malgré le continuel rétrécissement de notre vieille Terre, chaque jour plus facile à parcourir, les particularités entre les peuples qui l'habitent demeurent, au sens exact du terme, innombrables.

Ces innombrables particularités, relatives à la *socioculture* (par ce composé commode nous entendons l'ensemble des phénomènes sociaux ayant trait aux différents domaines de la vie d'une communauté donnée — sa vie matérielle, intellectuelle, artistique, politique, morale, spirituelle, jusqu'à ses

1. Voir ce que dit Georges Mounin, dans *Les Problèmes théoriques de la traduction* (Paris, Gallimard, 1963), des *universaux cosmogoniques, biologiques* et *de culture*.

habitudes les plus quotidiennes[2]), peuvent se trouver mentionnées dans à peu près tous les textes.

On les trouve, en tout premier lieu, dans les textes à fort contenu culturel, tels :

1) La Bible, dont la traduction a une longue histoire riche d'enseignements[3]. Comment traduire, par exemple, en lui gardant toute sa valeur édifiante, la parabole du figuier dans la langue d'un peuple chez qui cet arbre ne porte que des fruits non comestibles et purgatifs ? Ou, dans l'Épître aux Hébreux, la notion d'héritage (centrale dans ce texte qui évoque le partage du pays de Canaan) pour un peuple qui, comme les Lengua du Paraguay, ignore cette notion ? Eugene Nida propose avec bon sens de remplacer le figuier par un autre

2. Voir, dans « Pour un dictionnaire des mots de la culture populaire », *Le français dans le monde*, n° 188, oct. 1984, p. 57-63, ce que dit Robert Galisson de la *culture populaire*, qu'il oppose à la *culture savante* et définit comme la somme des « représentations culturelles populaires (populaires parce qu'elles sont communes au plus grand nombre et indépendantes du niveau de scolarisation des locuteurs) » : lieux communs inspirés de la « carotte », légume dont l'absorption est « censée : 1. rendre plus aimable ; 2. faire les cuisses roses ! » ; opposition du « bleu » et du « rose », couleurs respectivement réservées aux bébés-garçons et aux bébés-filles (layette, dragées de baptême) ; implicites culturels dont est chargé le mot poisson (poisson d'avril, « faire maigre » le vendredi)... toutes « ces connaissances vraiment partagées, que l'école ne prend pas en charge, mais qui s'acquièrent au quotidien, sans leçons ni exercices ».

3. La traduction biblique a toujours été une entreprise laborieuse. Dans *Traduire sans trahir : la théorie de la traduction et son application aux textes bibliques* (Lausanne, Éd. L'Âge d'homme, coll. Symbollon, 1979), p. 14, Jean-Claude Margot explique clairement pourquoi « des révisions ou de nouvelles traductions sont périodiquement nécessaires ». Les raisons qu'il avance sont les suivantes : « 1) La découverte de nouveaux manuscrits hébreux ou grecs permettant d'établir un texte de base plus sûr [...]. 2) L'évolution de la langue (un certain nombre d'expressions que l'on trouve dans les versions françaises du passé ne sont plus employées dans le même sens aujourd'hui ou appartiennent à un style qui n'est plus usuel). 3) L'accent mis sur la nécessité de disposer de traductions immédiatement compréhensibles [...]. 4) Le progrès dans la définition du sens des termes bibliques. 5) Le progrès dans l'interprétation de certains passages [...]. 6) Une meilleure information linguistique [...] et une meilleure appréciation des traits culturels. » — Georges Mounin, qui préface l'ouvrage, n'hésite pas à parler d'« une *ecclesia* de la recherche, [d'] un immense laboratoire avec son caractère organisé, collectif, communautaire, non concurrentiel, qui pourrait faire rêver beaucoup d'équipes de recherche scientifique dans beaucoup d'autres domaines. »

arbre, aux fruits comestibles et appréciés des gens du pays, et de rendre en lengua *the heir of all things* **(l'héritier de toutes les choses)** par *God gave all things to him* **(Dieu lui donna toutes les choses[4]).**

2) Les textes traitant des beaux-arts et les textes littéraires. Rapportons ici la pertinente remarque d'un traducteur éclairé : « Le fait que nous désignions par les mêmes mots **avare** et **usurier**, un personnage de Plaute (IIIe siècle av. J.-C.), de Molière, de Balzac est [...] digne d'intérêt : ces deux termes, dans la mesure où ils attirent notre attention sur les caractères communs aux trois personnages, nous empêchent d'apercevoir (sauf à travers un long commentaire philologique) les différences profondes entre ces trois personnages, du point de vue psychologique, économique et sociologique[5]. »

3) Tout texte faisant état de particularités sociologiques. Ceux, par exemple, qui mentionnent les « sous-cultures » contemporaines : celles des *teddy boys*, des *mods* et des *rockers*, des *punks* et des *skinheads*... Doit-on traduire ici ? Le peut-on ?

4) Les textes publicitaires, profondément enracinés dans le social et le pragmatique, sont, eux aussi, remplis d'embûches socioculturelles. À preuve cette anecdote : il y a quelques années, nous avions à rendre en anglais, dans un séminaire consacré à la traduction publicitaire, le slogan : **Le lait, c'est vachement bon!** Après bien des tâtonnements, nous étions arrivés à : *Milk — Udderly delicious!* (*utterly*, adv. : **absolument, tout à fait**; *udder*, n. : **pis, mamelle**), qui reçut aussitôt l'assentiment de tous, anglophones et francophones du groupe. Quelques semaines plus tard, l'enthousiasme était retombé : nous avions dû déchanter devant les réactions défa-

4. Ces deux exemples, choisis parmi des dizaines d'autres, sont respectivement tirés de deux textes d'Eugene Nida : « Linguistics and Ethnology in Translation Problems », *Word*, no 2, 1945, p. 194-208 (premier article de Nida) et « Difficulties in Translating Hebrews 1 into Southern Lengua », *Language Structure and Translation* (Stanford [Californie], Stanford University Press, 1975), p. 71-78.

5. Georges Mounin, « Les langues et les mentalités », *L'Arc*, no 72, s.d., p. 60.

vorables de la plupart des anglophones à qui, fiers de nous, nous avions fait admirer notre trouvaille. Elle constituait certes un bon gadget linguistique, mais l'effet qu'elle produisait sur les lecteurs, du fait de l'image peu ragoûtante qu'évoque le mot *udder* pour quelqu'un de culture anglo-saxonne, constituait un véritable parasitage de la fonction publicitaire du slogan. Fonction essentiellement laudative que, dans l'euphorie générale procurée par l'acrobatie verbale réussie, nous avions tout bonnement perdue de vue.

Dans un même ordre d'idées, mentionnons cette autre anecdote rapportée par Jean-Paul Vinay : « Une banque canadienne anglaise avait lancé une affiche invitant les Canadiens à l'épargne ; celle-ci représentait une main tenant un carnet de banque, avec la devise *Passport to better living*. Or, la métaphore du passeport n'est pas courante en français ; on penserait plutôt à des clefs ouvrant toutes les portes, la clef du succès, etc. Enfin, ce qui n'arrangeait rien, le traducteur avait rendu la devise littéralement par **passeport pour une vie meilleure** ; l'affiche aurait, pour le coup, été mieux à sa place dans un " salon mortuaire ", cette institution typiquement américaine qui transpose en soie bonbon rose *[sic]* les draperies noires de nos Pompes funèbres. La solution la plus heureuse aurait été l'adaptation vers l'image de la clef, en remplaçant le dessin du carnet par une main ouvrant un coffre-fort, **la clef du succès**[6]. »

Jean Darbelnet note par ailleurs : « On peut s'attendre [aussi] que la nourriture offre de nombreux exemples de différences culturelles. [...] **pain** et *bread* n'ont ni le même aspect ni la même importance dans l'alimentation des pays considérés. Il n'en reste pas moins que dans beaucoup de situations ils sont équivalents et ne peuvent que se traduire l'un par l'autre. Cette vérité élémentaire une fois recon-

6. Jean-Paul Vinay, « La traduction humaine », dans *Le Langage* (sous la direction d'André Martinet), Paris, Gallimard, coll. Bibliothèque de la Pléiade, 1968, p. 750.

nue, on peut relever des différences significatives qui se manifestent dans la langue. Le pain anglo-saxon ressemble beaucoup à notre pain de mie. Il n'aurait jamais donné naissance à l'expression **casser la croûte**, et le **crouton**, morceau souvent préféré des Français, n'existe pas. Ce qui le remplace, c'est l'entame ou la dernière tranche *(the end piece)*, qui est souvent considérée comme un mauvais morceau ; il n'est pas rare qu'on la jette. De plus, parce que ce pain est surtout de la mie, le mot **mie** *(crumb)* ne s'opposant plus à **croûte**, tend à disparaître du vocabulaire usuel : la mie, c'est le pain et non une partie du pain[7]. »

Mentionnons encore, dans le domaine alimentaire, la découpe des viandes, qui n'est pas la même en France et en Amérique du Nord : le *T-bone steak*, le *sirloin* et le *New York* n'ont pas de correspondants français, ni inversement l'**onglet**, l'**entrecôte** et la **pièce ronde**. Les bons morceaux d'une volaille sont aussi désignés différemment : là où les Nord-Américains distinguent deux morceaux, *white meat* et *dark meat*, les Français, et les Canadiens français, en distinguent quatre, l'**aile** et le **blanc** *(white meat)* d'une part ; la **cuisse** et le **pilon** *(dark meat)*, d'autre part. Un consommateur bilingue ne serait évidemment pas embarrassé pour commander un steak ou du poulet dans l'une ou l'autre langue ; un traducteur pourrait l'être devant un menu à traduire.

De même, si nous imaginons une bande dessinée nord-américaine qui ferait usage d'une pomme pour exprimer symboliquement le signifié « rentrée scolaire », mettant en scène, par exemple, une fillette en train d'offrir une belle pomme rouge à sa maîtresse, il ne serait pas possible d'utiliser le dessin tel quel à destination d'un public européen. Une modification s'imposerait — un bouquet de fleurs au lieu de la pomme ou une date quelque part — pour signifier clairement le moment de l'année.

7. Jean Darbelnet, « Sémantique et civilisation », *Le français dans le monde*, n° 81, juin 1971, p. 16-17.

C'est là, pour le traducteur, l'une des deux attitudes possibles devant un obstacle socioculturel : la *naturalisation du texte d'arrivée*, qui consiste en une adaptation[8], c'est-à-dire à choisir pour le trait culturel embarrassant un équivalent dans la socioculture d'arrivée. (Cette solution a trouvé naguère une illustration magistrale dans le double étiquetage d'un flacon de vitamines vendu au Canada : du côté de l'anglais, Fred Flintstone ; du côté du français, Astérix. Depuis que la série de dessins animés *The Flintstones*, aujourd'hui populaire à la télévision canadienne-française, a été doublée en français, et par là assimilée, sous le nom *Les Pierrafeu*, les vitamines en question, toujours vendues, ont perdu leur géniale adaptation : Fred a supplanté le vigoureux Gaulois sur l'étiquette française.)

On peut aussi — c'est la seconde attitude — opter pour la *conservation du trait culturel original* et, à l'aide d'emprunts et de calques, chercher à produire un effet d'exotisme. C'est la voie qui s'est imposée au traducteur français, Raymond Girard, du roman de Truman Capote, *In Cold Blood*. *De sang-froid* commence ainsi :

> Le village de Holcomb est situé sur les hautes plaines à blé de l'ouest du Kansas, une région solitaire que les autres habitants du Kansas appellent « là-bas ». À quelque soixante-dix miles [et non soixante-dix milles ni cent kilomètres] à l'est de la frontière du Colorado, la région a une atmosphère qui est plutôt Far West que Middle West avec son dur ciel bleu et son air d'une pureté de désert. Le parler local est hérissé d'un accent de la plaine, un nasillement de cow-boy, et nombreux sont les hommes qui portent d'étroits pantalons de pionniers, de grands chapeaux de feutre et des bottes à bouts pointus et à talons hauts[9].

8. Voir « Les procédés techniques de la traduction », dans *Stylistique comparée...*, de Vinay et Darbelnet, *op. laud.*, et dans « La traduction humaine », *art. cit.*, de Vinay.

9. Truman Capote, *De sang-froid*, traduit de l'anglais par Raymond Girard, Paris, Gallimard, coll. Folio, 1972 [c1966], p. 15.

Quelques pages plus bas, un personnage, Mr. [et non M.] Clutter, boit de la « root beer » et fume des « Pall Mall ». Et son épouse, qui ne fume pas mais boit occasionnellement du « bourbon », est désignée comme Mrs. [et non Mme] Clutter. Il en va de même pour Mrs. Clarence Katz, voisine des premiers.

SOMMAIRE

• Les réalités socioculturelles d'une communauté humaine (sa vie matérielle, intellectuelle, artistique, politique, morale, spirituelle, ainsi que ses habitudes les plus quotidiennes) sont inscrites dans le lexique de sa langue.

• De fort nombreux traits socioculturels, propres à un peuple ou à une époque, n'existent pas pour d'autres peuples ou d'autres époques et n'ont donc, pour eux, aucune existence linguistique.

• Pour combler une lacune socioculturelle de sa langue d'arrivée, le traducteur peut choisir entre deux solutions :

1) l'*adaptation*, qui consiste à remplacer le trait manquant par un équivalent propre à la socioculture d'arrivée ;

2) l'*emprunt*, qui est la conservation pure et simple du trait culturel original (accompagné ou non d'une explication).

APPLICATIONS

L'analyse socioculturelle comparative

De nombreux exercices comparatifs peuvent être imaginés pour mettre en évidence certaines différences socioculturelles[10].

a) **Faire rechercher des expressions idiomatiques** s'appliquant à des situations particulières et n'ayant pas de véritables équivalents dans l'autre langue considérée.

Par exemple, *to take a shower* signifie **prendre une douche**. Mais en Amérique du Nord, *to give a shower* à une jeune femme sur le point de se marier (lui **donner une douche** ? ! !) consiste, pour ses amies les plus proches, à organiser chez l'une d'entre elles une petite fête en l'honneur de la future mariée, à laquelle elles offrent des présents. En français, **enterrer sa vie de garçon** s'emploie pour la même circonstance, mais cette expression, évidemment réservée à l'autre sexe, désigne, non sans ironie, une sortie nocturne entre hommes, en l'honneur de celui d'entre eux qui doit « se mettre la corde au cou » dans les jours qui suivent.

b) **Faire trouver des textes parallèles** à l'intention des deux publics considérés.

Par exemple, des slogans publicitaires, qu'on fera commenter sociolinguistiquement[11].

> TEA. *Iced'n easy.*
>
> T'as chaud ? Thé glacé !
>
> (Canada.)

10. À ce propos, on pourra consulter *Modèle d'analyse de culture comparative*, de C. Kerekes et P. Sarmiento (Besançon, polycopié, 1977).

11. Voir, dans *Translation Studies* (Londres / New York, Methuen, New Accent Series, 1980), p. 28-29, l'analyse comparée que Susan Bassnett-McGuire propose pour la publicité du whisky écossais et du martini. Sa conclusion : « Par conséquent, on peut très bien dire que le scotch, dans le contexte britannique, est l'équivalent du martini dans le contexte italien, et vice-versa, dans la mesure où la publicité les présentent tous les deux comme des produits assumant des fonctions sociales équivalentes. » *(C'est nous qui traduisons.)*

The TEA that dares to be known
by good taste alone.
Le THÉ sans nom.
Son goût dit tout.

(Canada.)

Ou encore, le communiqué de presse qui se trouve ci-après (p. 31-32), et dont on fera soigneusement noter, puis expliquer logiquement, les divergences de contenu et de typographie.

Ou encore, cette note judicieuse qu'Arrabal écrit à l'intention de son épouse, traductrice de la pièce *Pic-Nic* (titre français : *Pique-nique en campagne*) : « *Luce :* PON UN PLATO TÍPICO FRANCÉS DE LOS QUE SE TOMAN CUANDO SE VA AL CAMPO. » Luce traduisit alors le passage en cause (« *He hecho una tortilla de patatas que tanto te gusta, unos bocadillos de jamón, vino tinto, ensalada y pasteles* ») par : « Du saucisson, des œufs durs, tu aimes tellement ça[12]. »

Faire faire des translations analogues à propos de certains aspects socioculturels bien choisis (objets symboliques — *Xmas cake* / **bûche de Noël** —, fêtes, dates historiques...). On pourra s'inspirer des remarques suivantes de Jean Darbelnet : « *He walked three blocks east.* Un Américain sait tout de suite que le piéton s'est déplacé d'environ 400 mètres, parce que, habitué au damier des villes de son pays, il a l'habitude de mesurer la distance en *blocks*. En effet le *block* n'est pas seulement un pâté de maisons rectangulaire ; il ajoute à l'uniformité de la forme celle des dimensions, au moins pour une ville donnée, et peut servir d'unité de distance. De plus, contrairement à ce qui se fait en Europe, les Américains s'orientent à l'aide des points cardinaux aussi bien dans une ville qu'en pleine campagne. Notre rive droite serait une rive nord dans une ville américaine, et là où, à la gare Windsor de Montréal, on parle de l'**extrémité sud du grand hall** (*the south*

12. Fernando Arrabal, *Pic Nic, El Triciclo, El Laberinto*, éd. établie par Angel Berenguer, Madrid, Éd. Cítedra, 1977, p. 130, n. 15.

end of the concourse), il serait question, à la gare Saint-Lazare, non pas du côté est, mais du côté rue d'Amsterdam. La traduction du mot *east* dans l'exemple ci-dessus serait : **dans la direction de** telle place ou tel monument bien connu[13]. »

En suivant cette voie, on pourra se donner pour tâche de traduire un passage descriptif en le « naturalisant », c'est-à-dire en changeant son cadre géographique. Par exemple, le passage suivant, extrait d'une nouvelle de O. Henry, ne sera plus, en traduction, une description de New York mais de Paris, observé du haut de la tour Eiffel :

If you are a philosopher you can do this thing: you can go to the top of a high building, look down upon your fellow men 300 feet below, and despise them as insects. Like the irresponsible black waterbugs on summer ponds, they crawl and circle and hustle about idiotically without aim or purpose.

From this high view the city itself becomes degraded to an unintelligible mass of distorted buildings and impossible perspectives; the revered ocean is a duck pond, the earth itself a lost golf ball. All the minutiæ of life are gone. The philosopher gazes into the infinite heavens above him, and allow his soul to expand in the influence of his new view[14].

13. Jean Darbelnet, « Sémantique et civilisation », *art. cit.*, p. 16.
14. O. Henry, *Strictly Business*, New York, Doubleday, Page & Co., 1920, p. 173.

PRESS RELEASE

At last: basic rules to help you typeset in French...

As an anglophone publisher, editor, printer or typesetter having to work with French copy, you perhaps are aware that French style and English style do not follow exactly the same rules. A short guide to the correct presentation of a French language text will help you avoid many pitfalls.

The guide, *Basic Rules for Typesetting in French: Where They Differ from Rules for English*, is a ten-page booklet. Clear, concise, and easy to use, it makes no claim to be anything more than its title suggests. Editors and translators, or anyone who works in both official languages and needs this kind of information (writers of word-processing programmes, among others) will find the guide a considerable asset.

It is published by GREF (Groupe de recherche en études francophones), Glendon College, York University, 2275 Bayview Avenue, Toronto, Ontario, Canada M4N 3M6.

The authors of the Guide are **Alain Baudot**, Founder and Director of GREF and Professor of Humanities and French Literature at Glendon College, and **Thérèse Lior**, copywriter and editor at TVOntario's French Information Services. Both authors have always, in their respective professions, promoted the use of modern and "natural" French. In their opinion, typographic conventions are an essential part of any language and should therefore be taken into account by professionals in the field.

(*P. 31-32* : voir ci-dessus *p. 29.*)

COMMUNIQUÉ

Pour se faire bien publier en français...

Vous êtes sans doute conscient des difficultés qu'on rencontre habituellement lorsqu'on confie à un éditeur anglophone un texte rédigé en français... C'est pour vous aider à obtenir un travail de composition plus satisfaisant que nous publions un petit manuel précisant les caractéristiques de la présentation d'un texte français : *Basic Rules for Typesetting in French: Where They Differ from Rules for English.*

Si ce manuel est écrit en anglais (avec, cependant, tous les exemples en français), c'est parce qu'il s'adresse principalement aux compositeurs-typographes anglophones.

Clair, concis, pratique — et sans prétendre être autre chose que ce qu'indique son titre — cet ouvrage de dix pages se révélera fort utile aux traducteurs, rédacteurs et réviseurs qui travaillent dans les deux langues, comme à tous ceux qui ont à se débattre avec ce genre de questions (programmateurs de systèmes de traitement de texte, par exemple). Il est publié par le G.R.E.F. (Groupe de recherche en études francophones), Collège Glendon de l'Université York, 2275, avenue Bayview, Toronto (Ontario) Canada M4N 3M6.

Les auteurs : **Alain Baudot**, fondateur et directeur du G.R.E.F., professeur titulaire d'humanités et de littérature française au Collège Glendon, et **Thérèse Lior**, rédactrice-réviseure au Service de l'information de TV-Ontario. Tous deux, par leurs travaux respectifs, ont toujours encouragé l'utilisation d'un français vivant, authentique et de qualité. Pour eux, c'est défigurer une langue que de ne pas appliquer les règles typographiques qui lui sont propres.

SUGGESTIONS DE LECTURES

Parmi les nombreuses études traitant de problèmes socioculturels, on lira avec profit :

• Susan Bassnett-McGuire, *Translation Studies*, Londres / New York, Methuen, New Accents Series, 1980.

• Jean Darbelnet, « Sémantique et civilisation », *Le français dans le monde*, n° 81, juin 1971, p. 15-19.

• Robert Galisson, « Pour un dictionnaire des mots de la culture populaire », *Le français dans le monde*, n° 188, oct. 1984, p. 57-63.

• Jean-Claude Margot, *Traduire sans trahir : la théorie de la traduction et son application aux textes bibliques*, Lausanne, Éd. L'Âge d'homme, coll. Symbollon, 1979.

• Georges Mounin, *Les Problèmes théoriques de la traduction*, Paris, Gallimard, 1963.

• *Id.*, « Les langues et les mentalités », *L'Arc*, n° 72 (numéro consacré à Georges Duby), s. d. , p. 52-62.

• Eugene A. Nida, « Linguistics and Ethnology in Translation Problems », *Word*, n° 2, 1945, p. 194-208.

• *Id.*, « Difficulties in Translating Hebrews 1 into Southern Lengua », p. 71-78 de *Language Structure and Translation* (Stanford [Californie], Stanford University Press, 1975). Très précieux recueil de douze articles écrits entre 1958 et 1974, comportant aussi, établies par Anwar S. Dil, une notice biographique de trois pages et une bibliographie riche de 162 titres.

• Jean-Paul Vinay, « La traduction humaine », dans *Le Langage* (sous la direction d'André Martinet), Paris, Gallimard, coll. Bibliothèque de la Pléiade, 1968, p. 729-757.

• *Id.* et Jean Darbelnet, *Stylistique comparée du français et de l'anglais*, méthode de traduction, Paris / Montréal, Didier / Beauchemin, 1971.

CHAPITRE III

LES CONNAISSANCES TECHNIQUES

La problématique est ici la même que pour le chapitre précédent : les textes à traduire réclament très souvent du traducteur des connaissances spécialisées qui lui sont indispensables — connaissances extra-linguistiques ou encyclopédiques relatives aux pratiques humaines, connaissances métalinguistiques ou terminologiques découlant de ces pratiques. Dans l'ignorance de ces connaissances techniques, la traduction reste le plus souvent vouée à l'échec.

Voici d'abord, pour souligner l'utilité de la documentation terminologique, la préface, largement « caviardée » (elle a en réalité six pages), de *Stylistique comparée...*, de Vinay et Darbelnet :

L'histoire commence sur l'autostrade de New-York à Montréal. [...] Il y a [...], de loin en loin, des écriteaux qui ponctuent la route. [...] tous ces écriteaux sont très clairs, certes, mais ce n'est pas ainsi qu'on les rédigerait en français [...] : *KEEP TO THE RIGHT. NO PASSING. SLOW MEN AT WORK. STOP WHEN SCHOOL BUS STOPS.* [...]

Et l'histoire finit en France, comme il se devait, sur l'autoroute de l'Ouest. [...] Nous quittons donc le Havre, Rouen, et les méandres de la Seine pour emprunter ce double ruban sobrement encadré d'une verdure séculaire. [...] Et voilà que défilent, sous nos yeux ravis, les traductions désirées : DOUBLER À GAUCHE. PRIORITÉ À DROITE. DÉFENSE DE DOUBLER. RALENTIR TRAVAUX. RALENTIR ÉCOLE. [...]

Et c'est déjà le tunnel de St-Cloud, c'est la Seine et le bois de Boulogne. C'est Paris [1].

Ensuite, concernant les connaissances extra-linguistiques ou encyclopédiques, cet autre exemple (malheureusement authentique !) : **Aimable bicyclette.** Énoncé charmant, capable d'éveiller chez plusieurs de tendres souvenirs de jeunesse ou de lecture. Cependant, lorsqu'on la rencontre sur l'étiquette d'un sous-vêtement (de fabrication américaine) et qu'elle est la traduction de la consigne de lavage *Gentle Cycle* (désignant le **cycle doux** des machines à laver), l'« aimable bicyclette », il faut bien en convenir, perd beaucoup de son attrait.

La presse canadienne a relaté, il y a peu, une autre méprise de traduction, tout aussi cocasse : une lotion dépilatoire (aussi de fabrication américaine) aurait été vendue en Union soviétique comme lotion capillaire (*hair* : **poil** ou **cheveux**). Négligence, canular ou guerre froide ? On imagine sans peine les résultats obtenus. Et ceux qu'on pourrait obtenir, plus tragiques cette fois, si l'on confiait à des traducteurs de la même engeance la posologie de certains médicaments.

Acquérir de bonnes connaissances techniques, maîtriser les terminologies — c'est-à-dire BIEN SE DOCUMENTER — est donc une nécessité première pour qui entreprend de traduire. Car on n'invente pas la traduction de :

1. Jean-Pierre Vinay et Jean Darbelnet, *Stylistique comparée..., op. laud.*, p. 17-22.

La manivelle, appelée aussi vilebrequin, est un arbre coudé...
The crank, or crankshaft, consists of a throw...

ou de :

Compound vortex controlled combustion.
Combustion à turbulence et mélanges contrôlée.

Même avec les textes les plus généraux, les moins spécialisés, une recherche encyclopédique et terminologique s'impose presque toujours. Un chapitre de roman peut très bien conduire à la description minutieuse d'une scène de chirurgie comme à celle d'une partie de tennis ; un article de journal peut très bien aligner des sigles d'organismes internationaux dont certains, mais pas tous, possèderont une version officielle en langue d'arrivée (*NATO* = **O.T.A.N.**) ; un texte quelconque peut aussi mentionner tel toponyme ; *London* = **Londres**, c'est bien connu, mais faut-il traduire, dans l'autre langue officielle du Canada, *London* (Ontario), *Yellowknife* ou **lac Saint-Jean** ?

La réponse à ce genre de question qui se pose presque toujours, c'est la documentation. Mais devant la multitude de formes qu'elle prend dans les innombrables domaines des sciences et des techniques, nous n'essayerons pas d'indiquer, au hasard, des sources documentaires[2]. Contentons-nous d'avoir évoqué le problème.

Nous terminerons plutôt ce court chapitre par un commentaire de Danica Seleskovitch, qui souligne avec vigueur et beaucoup d'à propos le rôle primordial que jouent les connaissances extra-linguistiques dans l'interprétation correcte du « sens » d'un énoncé :

Prenons [...] le titre d'un article que je viens de lire dans le journal français *Le Matin*, daté du 31 juillet 1979 : **L'Égypte décline l'invitation de Washington**. Pour mettre celui qui me lit dans la

2. Nous renvoyons tout de même aux deux premiers titres des **Suggestions de lectures** proposées à la fin de ce chapitre.

même situation que le lecteur du *Matin* le 31 juillet, il faut rappeler ce que celui-ci sait ce jour-là : il se souvient de la spectaculaire visite de Sadate en Israël un an auparavant et des innombrables tractations pour assurer la paix au Moyen-Orient. Les accords de Camp David entre Égypte, Israël et États-Unis sont encore présents dans sa mémoire. [...]

Voilà les souvenirs à partir desquels le lecteur comprend le titre de journal. Si on le lui demandait, il pourrait préciser le sens de chaque mot : **Égypte** [...] ce mot a le sens de : **président de la République égyptienne** (Sadate), **gouvernement égyptien**, etc. ; **décline** a le sens de : **refuse** [...] ; **invitation** a ici le sens de : **invitation à une réunion tripartite sur le Sinaï. Washington** : même observation que précédemment à propos d'**Égypte** [...].

Celui qui lit un texte ou qui entend une parole qui lui est adressée, la comprend non seulement en fonction de sa compétence linguistique mais aussi, et obligatoirement, en fonction des connaissances que la formulation linguistique éveille en lui, compte tenu de ce qu'elle signifie en soi. Interpréter un texte ou, si l'on préfère, le lire intelligemment, c'est saisir en même temps du linguistique et du non linguistique en une opération normale, courante, celle de la communication humaine[3].

3. Danica Seleskovitch, « Recherche universitaire et théorie interprétative de la traduction », *Meta*, vol. 26, nº 3, sept. 1981, p. 305. La traduction est ici conçue « comme processus de transfert du *sens* d'une langue à l'autre », le *sens*, « prise de conscience devant le signe », étant défini comme « délimit[é] d'un côté par rapport aux signifiés de la langue qu'il dépasse et de l'autre, par rapport à ce qu'il implique et qui le dépasse à son tour. » — On lira aussi, du même auteur, « Pour une théorie de la traduction inspirée de sa pratique », *Meta*, vol. 25, nº 4, déc. 1980, p. 401-408.

SOMMAIRE

Il arrive souvent qu'un traducteur se trouve en difficulté devant un texte technique :

- soit par méconnaissance des référents (l'activité technique, les objets qu'elle utilise) ;
- soit par ignorance des mots qui désignent ces référents.

Dans les deux cas, la solution du problème se trouve dans la *documentation* :

- *documentation technique* renseignant sur l'activité elle-même ;
- ou *documentation métalinguistique* fournissant la terminologie appropriée.

SUGGESTIONS DE LECTURES

On lira avec grand profit :

• Jean Delisle et Lorraine Albert, *Guide bibliographique du traducteur, rédacteur et terminologue* (Ottawa, Éd. de l'Université d'Ottawa, coll. Cahiers de traductologie, n° 1, 1979), qui présente un panorama des ressources disponibles.

• Claude Bédard, *La Traduction technique : principes et pratique* (Montréal, Linguatech, 1986, 254 p.), qui examine les connaissances spécialisées dans leur double aspect, encyclopédique et terminologique.

À lire aussi *in extenso* les deux articles suivants, cités dans le chapitre :

• Danica Seleskovitch, « Pour une théorie de la traduction inspirée de sa pratique », *Meta*, vol. 25, n° 4, déc. 1980, p. 401-408.

• *Id.*, « Recherche universitaire et théorie interprétative de la traduction », *Meta*, vol. 26, n° 3, sept. 1981, p. 304-308. — Une seconde version de ce texte a paru dans *Interpréter pour traduire* (par Danica Seleskovitch et Marianne Lederer, Paris, Publications de la Sorbonne, Didier Érudition, coll. Traductologie 1, 1984), sous le titre « La traductologie entre l'exégèse et la linguistique ».

DEUXIÈME PARTIE

PROBLÈMES AU NIVEAU DES SYSTÈMES LINGUISTIQUES

Soulignons, en premier lieu, la différence fondamentale qui sépare ce qui vient d'être dit de ce qui va suivre. Les problèmes présentés dans la première partie trouvaient leur origine dans des réalités socioculturelles spécifiques, qui étaient peu familières, voire totalement étrangères, au traducteur ou à son public. Dans la deuxième partie, les réalités évoquées par le texte à traduire leur sont familières ; les problèmes proviennent cette fois de la manière particulière dont ces mêmes réalités sont représentées dans chacune des deux langues :

horseSHOE / FER *à cheval (lexique)*

two months OR LESS / *deux mois* AU PLUS *(phraséologie)*

my cousin is tall / MA *cousin*E *est grand*E *(morphologie)*

that stupid brother OF HIS (HERS) / SON *idiot* DE *frère (morphologie et syntaxe).*

Une théorie linguistique très connue, celle dite des « visions du monde », avance que la vision que chacun de nous se fait du monde est déterminée une fois pour toutes par les structures de sa langue maternelle *et que, par conséquent,* les différentes visions émanant des différentes langues ne seraient en aucune façon assimilables[1].

1. Cette théorie est aussi connue sous le nom d'« hypothèse Sapir-Whorf ». La formulation extrémiste est surtout celle de Whorf, disciple de Sapir. Voir Benjamin Lee Whorf, *Language, Thought, and Reality: Selected Writings* (sous la direction de John B. Carroll, Cambridge [Mass., É.-U.], M.I.T. Press, 1956) ; traduction française de Claude Carme, sous un titre nébuleux : *Linguistique et Anthropologie* (Paris, Denoël, 1969).

Cette formulation extrémiste est à atténuer. « Chaque langue découpe et nomme différemment l'expérience que [nous avons] du monde[2] *» ; mais cela ne veut pas dire que nous soyons prisonniers à perpétuité du système conceptuel hérité de notre langue maternelle.*

Laissons à André Martinet le soin de conclure là-dessus : « Cette thèse [...] continue à mériter toute notre attention. Sans doute convient-il de n'en pas exagérer la portée : la vision du monde qui nous est imposée par notre première langue ne nous empêche pas, radicalement, d'en acquérir une autre par l'apprentissage d'une deuxième ; traduire, d'une langue à une autre, ne veut pas dire nécessairement trahir. [...] Mais il reste que tout transfert de langue à langue réclame, pour être satisfaisant, une repensée et résulte nécessairement d'un effort individuel pour échapper à la contrainte très puissante qu'entraîne l'acquisition première du langage dans une communauté particulière[3]. *»*

Capitale pour la traduction et pour l'apprentissage des langues, cette notion de repensée *(si judicieusement nommée) est examinée dans les deux chapitres qui suivent, d'abord d'un point de vue lexical, ensuite grammatical.*

2. Georges Mounin, *Les Problèmes théoriques de la traduction*, Paris, Gallimard, coll. Bibliothèque des idées, 1963, p. 77. — Voir aussi, *ibid.*, le chapitre IV, intitulé « " Visions du monde " et traduction ».

3. André Martinet, « Une langue et le monde », *Dilbilim* [revue du Département de français de l'École supérieure des langues étrangères de l'Université d'Istanboul], nº 5, 1980, p. 1. — Voir encore : Georges Mounin, « Les langues et les mentalités », *L'Arc*, nº 72, p. 57-62, et Eugene A. Nida, « Words and Thoughts », dans *Language Structure and Translation* (Stanford [Californie], Stanford University Press, 1975), p. 184-191.

CHAPITRE IV

LEXIQUE ET SÉMANTIQUE

La traduction étant avant tout, comme l'a plaisamment écrit Valery Larbaud, une « transfusion de sens », il semble opportun d'attirer en premier lieu l'attention sur les unités linguistiques qui participent le plus étroitement à la signification des textes, à savoir les unités lexicales. Le propos de ce chapitre est donc de décrire d'abord ces unités — le lexique, les unités lexicales, l'information lexicale — pour envisager ensuite, en conclusion, leur traitement dans la perspective de la traduction[1].

1. Le lexique

La lexicologie nous enseigne qu'un *lexique* — inventaire (illimité) des unités lexicales d'une langue — n'est ni un « sac-à-mots », où toutes les unités, indépendantes les unes des

1. Ce chapitre est le texte remanié d'un article paru, sous le titre « Traitement des unités lexicales », dans la revue *Meta*, vol. 27, n° 2, juin 1982, p. 167-172.

autres, se trouveraient entassées sans ordre, ni un ensemble systématiquement structuré : tout lexique présente bien une organisation, mais partielle et fragmentaire, en « petits groupes » (champs conceptuels, sémantiques ou lexicaux, familles de mots...).

Dans ces conditions, il est souhaitable que le traducteur, qui est amené à constater de nombreuses irrégularités dans les lexiques qu'il pratique, tienne les différences pour la règle et les ressemblances pour l'exception. Nous en donnons quelques exemples empruntés à l'anglais et au français.

a) **Exemple de polymorphie.**

Le suffixe nominal français **-ement**, sans changer le signifié du lexème (dénotant un procès), transforme un verbe en substantif : **enseigner / enseignement** ; **panser / pansement** ; **tinter / tintement**. Mais, d'une part, ce modèle de formation n'est pas systématiquement utilisable (il ne fonctionne pas avec des bases comme **penser**, **marcher**, **courir**), et il est, d'autre part, concurrencé par d'autres modèles :

— base verbale + **0** (marche, danse, course) ;
— base verbale + **-ation** (formation, condamnation) ;
— base verbale + **-age** (mariage, vidage, raturage) ;
— base verbale + **-ure** (peinture, rature, friture).

Il faut aussi noter qu'il existe des verbes sans substantifs correspondants : **fumer**, par exemple, car **fumure** ne dénote pas un procès mais un matériau.

b) **Exemple de polysémie.**

Le suffixe nominal français **-ure**, dans **peinture**, signifie aussi bien le procès et le résultat que le matériau et la technique.

c) **Exemple d'irrégularité combinatoire.**

En anglais, on peut parler de *roast meat*, de *roast beef*, de *roast pork*, même de *roasted nuts*, mais l'on doit dire *baked ham*, sans qu'aucune raison référentielle justifie le changement (la cuisson s'effectuant de manière analogue).

De ces irrégularités internes, il résulte clairement que

l'hypothèse d'une correspondance étendue entre lexiques est à rejeter. Et donc que le traducteur, lorsqu'il passe d'un lexique à un autre, doit redoubler de prudence !

d) **Exemples de non-correspondance entre lexiques.**

i) Au couple anglais *earn / win* ne correspond en français que le terme **gagner** ; inversement, à **songe / rêve** ne correspond que *dream*.

ii) **Reine** et *queen* partagent à peu près les mêmes acceptions (« souveraine », « insecte », « personne très en vue dans une certaine sphère », « pièce du jeu d'échecs »), mais aux cartes le français ne dit plus aujourd'hui que **dame**, là où l'anglais dit encore *queen*.

iii) Considérons ce sous-ensemble :

avant-hier / hier / aujourd'hui / demain / après-demain.

et cet autre, obtenu par translation du point de référence :

l'avant-veille / la veille / ce jour-là / le lendemain / le surlendemain.

Au premier, correspond en anglais un sous-ensemble à trois termes seulement :

yesterday / today / tomorrow.

les extrémités n'étant plus lexicalisées et utilisant des syntagmes :

the day before yesterday / the day after tomorrow.

Au second sous-ensemble ne correspond plus que le terme pivot, *that day*, les autres signifiés étant de nouveau confiés à des syntagmes :

the (two) day(s) before / the (two) day(s) after.

On pourrait enfin citer de nombreuses lacunes dans les vocabulaires dénotant les réalités socioculturelles (voir ci-dessus, chapitre II) : le *brunch* d'Amérique du Nord (repas se substituant, les fins de semaine, au *breakfast* et au *lunch*) n'a pas d'équivalent en français ; le terme **charcuterie** (à la fois, lieu et produit) se traduit mal en anglais.

2. Les unités lexicales

À première vue, il peut paraître aisé au traducteur de distinguer des *unités lexicales simples* (ou *lexèmes* ; voir notre **Index**), formées d'un seul mot graphique, et des *unités articulées* (ou *synthèmes*), formées de deux ou plusieurs mots. (Rappelons que ces dernières n'en sont pas moins des unités en vertu de leur comportement syntaxique qui est identique à celui d'une unité simple : par exemple, **pomme de terre** pouvant commuter dans un énoncé avec **patate** ou **légume**.)

Mais la réalité est plus complexe, précisément au niveau des unités articulées, dont il faut soigneusement distinguer les types suivants :

a) **Des synthèmes à articulation visible**. Par exemple, les séries suivantes : **couvre-chef, ouvre-porte, tournevis...**, **à brûle-pourpoint, à feu doux, à cor et à cri...**, **prendre part, prendre parti, prendre peur.**

b) **Des synthèmes à articulation cachée**, se subdivisant en :

i) synthèmes monographes (formés d'un lexème libérable et d'un affixe) : **poirier**, **épicier**, **tendrement**, **brunette**, **confrère**, ainsi que **compagnon** (dont la dérivation n'est plus évidente) ;

ii) syntagmes lexicalisés (dont tous les éléments sont figés, et qui fonctionnent en bloc comme des unités, c'est-à-dire qui peuvent commuter, dans des énoncés, avec des lexèmes synonymes) : **jeune fille** (célibataire ou vierge), **sucrer les fraises** (trembler), **casser les pieds** (ennuyer), **prendre la mouche** (s'emporter), du **jamais vu**.

Dans un texte à traduire, l'identification des unités lexicales articulées peut déjà donner lieu à des erreurs, alors imputables à une connaissance insuffisante de la langue de départ et à une mauvaise lecture du texte (**jeune fille** traduit par *young girl*, par exemple, là où le terme signifie *virgin*). Mais l'erreur la plus naïve, et la plus grave (et non la moins fréquente chez les traducteurs néophytes), demeure de vouloir conserver dans le texte d'arrivée la structure des unités lexicales de départ et d'essayer de traduire à tout prix une unité simple par une unité simple, une unité articulée par une unité articulée (*potato* traduit par **patate** sans se soucier de la nuance de sens, géographique ou situationnelle). Or, *à une unité simple d'une langue peut très bien correspondre* — lorsqu'une correspondance lexicale existe — *une unité articulée dans une autre langue*, et vice-versa :

potato pomme de terre
ananas *pineapple*
maid femme de chambre
arête *fishbone*.

À côté des unités lexicales, il faut encore mentionner une autre réalité, qui se situe à la frontière du lexical et du syntaxique et sur laquelle le traducteur trébuche souvent : les quasi-unités que sont les *expressions idiomatiques*. La cohésion de leurs éléments, si elle n'est pas absolue, est néanmoins régie par des contraintes combinatoires strictes dont la transgression porte gravement atteinte à l'authenticité des expressions. On connaît, par exemple, les anglicismes suivants : ***DEMANDER une question**, ***ÉCRIRE une dissertation**, ***APPLIQUER le frein**, ***CONTRIBUER dix dollars** (au lieu de **faire une contribution de...** ou, plus économique linguistiquement, **donner... à telle cause**), ainsi qu'une ***population de 30 000** (**habitants** étant obligatoire en français malgré la redondance sémantique avec **population**).

3. L'information lexicale

L'information transmise par les unités lexicales est d'une

quadruple nature, référentielle surtout, mais aussi pragmatique, dialectale, et stylistique[2].

a) **L'information centrale référentielle.**

Considérées à l'intérieur du répertoire de la langue, les unités lexicales possèdent un *sémantisme*, qui est l'ensemble des signifiés admis par chacun de leurs signifiants. C'est dire que ces unités sont en général largement polysémiques (caractère contre lequel les terminologies spécialisées s'efforcent de lutter par des moyens souvent très onéreux). Par exemple, prise au domaine de la navigation maritime, cette création néologique accompagnée d'un réinvestissement encombrant de termes courants : **aéroglisseur à jupe souple / aéroglisseur à jupe rigide**.

Pour illustrer la polysémie lexicale, phénomène bien connu de tout utilisateur de dictionnaires, un seul exemple suffira. Soit le lexème **table**. Sémantisme :

1° Meuble, objet utilitaire formé d'une surface plane horizontale supportée par un ou plusieurs pieds. (Suit alors dans les dictionnaires, pour caractériser les différents types de tables, une importante extension synthématique, dont on peut retenir : **table à dessin, table de jardin, table de jeu, table de nuit, table d'opération, table de ping-pong, table de toilette**.)

2° Nourriture : **C'est une des meilleures tables du pays, table d'hôte**.

3° Lieu où sont pris les repas : **À table !**

4° Signifiés métaphoriques : **table ronde, table rase, table des matières, se mettre à table**.

Le traducteur attentif n'aura aucun mal à constater que dans son texte de départ la polysémie potentielle d'une unité est généralement annulée (sauf en cas de jeux de mots, ou de faute de rédaction), ou pour le moins réduite, par le *contexte verbal* qui sélectionne le signifié adéquat, ou les signifiés admis, en oblitérant tous les autres. Ainsi, « j'ai acheté une

2. Voir ci-dessus, p. 9-13, ce qui est dit de l'information textuelle.

——— », contexte très peu contraignant, admet toutes les possibilités présentées ci-dessus au 1° (et entre lesquelles la situation d'énonciation fera trancher) mais exclut celles des 2°, 3° et 4°. Un autre contexte, plus contraignant que le premier, réduira les possibilités à deux : dans la phrase « J'ai acheté une ——— pour notre chambre à coucher », **table de nuit** s'impose, tandis que **table de jardin** ou **d'opération** réclamerait une situation vraiment exceptionnelle pour pouvoir être retenue !

La situation peut en effet jouer un rôle important. Ainsi, accompagnant une invitation à dîner, la précision : « Nous passerons à table vers vingt heures » pourrait très bien vouloir dire : « S'il vous plaît, ne vous ramenez plus à dix-neuf heures ! » ou encore : « Ne soyez plus en retard, ce coup-ci ! »

Cela explique pourquoi, devant le fréquent vide situationnel du texte à traduire, le traducteur éprouve très souvent un impérieux besoin de se documenter, et pourquoi la documentation, étant une nécessité de la traduction professionnelle, est devenue un domaine à part entière de sa pédagogie (voir chapitre précédent).

b) **L'information supplémentaire** (pragmatique, dialectale et stylistique).

Les unités lexicales présentent souvent des nuances, des suppléments de sens, ou connotations, qui viennent s'ajouter à leur sens de base, ou dénotation. Ce sont ces nuances qui, sous le nom d'indices, sont récapitulées dans la liste que voici :

i) Indices diachroniques (état de langue). Par exemple, des lexèmes vieillis comme **acquêt**, **ourdir**, le synthème **à suffisance** ; d'autres résolument modernes, comme **cinérama**, **urger**, **marketing** ou **prendre son pied**.

ii) Indices géographiques (origine géographique). Par exemple : **peuchère**, **espaloufi**, **pomper l'air à qqn** (Provence) ; **avoir son voyage**, **achaler**, **prendre une débarque**, **être magané** (Québec).

iii) Indices sociologiques (appartenance sociale). Par exemple, les parlers de groupes non professionnels — cercles sportifs, militaires, partis politiques, communautés scolaires...

iv) Indices professionnels (appartenance professionnelle). Par exemple, les termes techniques, tels ceux-ci, empruntés à la terminologie du matériel roulant ferroviaire français et désignant, non sans humour, les différents types de locomotives d'entretien : **dameuse**, **régaleuse**, **bourreuse**, **cribleuse**, **dégarnisseuse**.

v) Indices artistiques (usage artistique du langage) : vocabulaires « poétiques » (**rets**, **flamme**, **hymen**, **frimas**, **froidure**, **autans**) ; ou créations lexicales, celles de la littérature, de l'humour, de la publicité (**exerdanse**, **participaction**).

vi) Indices de civilité ou registre de langage (différenciation situationnelle) : indices à quatre degrés, affectation, mondanité, familiarité, vulgarité (**prendre congé**, **se retirer**, **se barrer**, **se tailler**, **foutre le camp**).

vii) Indices d'appréciation (jugements de valeur) : termes intensifs ou atténuatifs (**un océan d'ennuis**, **casser sa pipe**), mélioratifs ou péjoratifs (**nègre** opposé à **noir** — avec le renversement de valeurs opéré par les poètes de la Négritude — **marâtre** à **mère**, **garnement** ou **chérubin** à **enfant**, **nectar** à **boisson**).

En langue, s'il semble exister des unités sans indices sociolinguistiques (**table**, **oiseau**), la plupart en possèdent un ou deux, voire trois. Toutefois, placée dans un texte, toute unité est susceptible de se charger d'indices supplémentaires, puisés du contexte. Ainsi, dans ce vers de Baudelaire, tiré du *Balcon* :

> Et tes pieds s'endormaient dans mes mains fraternelles.

le lexème **pied**, pourtant souvent affecté en langue d'un indice de familiarité, voire d'appréciation péjorative (qu'on songe aux nombreuses expressions vulgaires auxquelles il donne lieu), évoquant ici par métonymie la femme aimée, cristallise toute la tendresse et la sensualité qui sous-tendent l'énoncé. S'il fallait traduire ce vers dans une langue possédant comme le français plusieurs unités lexicales pour désigner le pied, partie du corps humain, on pourrait certes choisir, comme Baudelaire, le terme le plus neutre, qui se sémantiserait de lui-même au contact de son contexte verbal ; ou, si cela était nécessaire (disons, pour des raisons métriques), choisir un terme mélioratif équivalent à notre **petons** (souvenons-nous de la chanson *Valentine*), qui s'harmoniserait parfaitement avec le contexte. Mais, en aucun cas, il ne faudrait choisir un équivalent de **panards** ou d'**arpions** : cela reviendrait, stylistiquement, à les mettre dans le plat.

4. Traduction de l'information lexicale

Les observations qui précèdent ont mis en lumière le manque de régularité du matériau lexical et, par voie de conséquence, les dissymétries qui apparaissent, nombreuses, lorsqu'on rapproche deux lexiques :

— unités de nature différente ;
— lacunes ;
— ensembles non superposables ;
— combinatoires différentes ;
— contenus sémantiques différents.

Tenant compte de ces réalités, le traducteur aura soin d'orienter sa pratique dans la bonne direction : *ce qui est à traduire, c'est l'information lexicale d'un énoncé, et non les structures linguistiques porteuses de cette information*. Pour y parvenir, il aura souvent recours aux procédés de la traduction oblique (excellemment décrits par Jean-Paul Vinay et Jean Darbelnet) :

She is STARTLINGLY BEAUTIFUL.
Elle est D'UNE BEAUTÉ SAISISSANTE.

ou encore :

An ACTIVE volcano.
Un volcan EN ACTIVITÉ.

ainsi qu'à la technique de la *compensation*, qui consiste à réintroduire à un autre endroit de l'énoncé d'arrivée (au besoin, par des moyens grammaticaux) l'information qui n'a pu être rendue au même endroit que dans l'original. L'anglais, par exemple, pour désigner une femme aux cheveux noirs, utilise l'emprunt *brunette*, mais dans cette langue le mot n'informe plus sur la taille de la personne désignée. Pour traduire en anglais le français **brunette** (femme + de petite taille + aux cheveux noirs, s'opposant à **grande brune**), il faudra donc ajouter un lexème pour compenser la perte d'information et écrire : *a SHORT brunette*.

Dans les cas les plus difficiles, lorsque la structure lexicale est elle-même à l'origine d'un effet sémantique, il faudra user d'une (souvent délicate) adaptation, « limite extrême de la traduction », d'après Vinay et Darbelnet. Par exemple, dans ce slogan publicitaire d'un casino célèbre :

> *The SANDS. LAS VEGAS.*
> *Where the FUN never sets.*

le jeu de mots est construit à partir de l'expression *the sun sets* **(le soleil se couche)**, et de la ressemblance entre *sun* et *fun* **(plaisir, amusement)**. En français, où le lexique ne permet pas le même jeu, il faudra adapter de manière à produire une information équivalente (laudative + humoristique) et à garder au slogan son efficacité publicitaire :

> Le SANDS, à LAS VEGAS :
> l'AS du PLAISIR.

SOMMAIRE

- L'équivalence lexicale — lorsqu'il en existe une — est presque toujours approximative, n'est presque jamais absolue.
- Le traducteur sera toujours attentif aux différences qui opposent et caractérisent les lexiques.
- C'est l'information véhiculée par les unités lexicales qu'il s'attachera à traduire, non les structures qui véhiculent cette information.

APPLICATIONS

La recherche d'exemples personnels

Les textes sur lesquels on travaille fournissent de nombreux exemples de particularités lexicales. Faire relever avec soin (sur un cahier-répertoire, consultable à loisir) celles qui ne sont pas familières, celles qui ont fait trébucher.

Par exemple :

1) *Knife* et **couteau** : l'équivalence semble évidente, pourtant... un **couteau à légumes** est un *peeler* en anglais ; les **couteaux** d'un rasoir électrique sont des *cutters*. Et le *leather knife* du sellier, le *hacking knife* du plombier sont des **tranchets**, en français.

2) *COMRADES in arms, hay FEVER, to WORK miracles* — **FRÈRES d'armes, RHUME des foins, FAIRE des miracles.**

3) À traduire, une expression hyperbolique comme :

They've got a load of work on at the moment.

Plusieurs possibilités se présentent :

Ils ont un travail / boulot fou / monstre.
Ils sont écrasés / noyés / submergés de travail.
Ils ont du travail par-dessus la tête.
Ils ont une montagne / tonne / un million de choses à faire.

parmi lesquelles il faut choisir, en fonction du contexte, celle qui paraît la meilleure. Mais ensuite, ne pas jeter le paradigme au panier avec les feuilles de brouillon. Le faire engranger dans le répertoire. Il resservira.

Et faire faire la même recherche en langue de départ :

They have a lot of work to do.
They're up to their eyes in work...

4) Les idiotismes sont souvent délicats à traduire : *to pay through the nose for sthg.* ne signifie pas simplement **acheter**

qqch. à un prix exorbitant ; l'image, expressive et familière, a aussi son importance pour l'information. Aussi le bon équivalent français sera-t-il : **coûter les yeux de la tête**. Et tant mieux si une ressemblance, non recherchée, existe entre les deux images utilisées (*nose* et **yeux**, ou **couteaux** et *daggers* dans **être à couteaux tirés avec qqn**, *to be at daggers drawn with s.o.*). Mais que le traducteur débutant ne s'y méprenne pas — c'est, hélas, bien souvent le cas, on se raccroche à la littéralité comme à une bouée de sauvetage —, une telle coïncidence ne peut être que fortuite et ne doit pas le préoccuper ; il n'aura d'autre souci, au niveau de la forme, que l'authenticité de l'expression traduite :

To make no bones about...
Ne pas y aller par quatre chemins.

He takes the cake!
À lui le pompon !

That was a close shave.
Il était moins une.

You'd better keep your nose clean.
Il vaut mieux que tu te tiennes à carreau.

SUGGESTIONS DE LECTURES

• La lecture de fond est ici la troisième partie, intitulée « Lexique et traduction », des *Problèmes théoriques de la traduction* de Georges Mounin (Paris, Gallimard, 1963), où l'auteur traite de manière érudite, en six chapitres et 117 pages, de la structuration des lexiques, de la recherche des unités sémantiques et des connotations. À méditer. À lire aussi avec profit le chapitre II, « L'organisation de l'expérience humaine », de *La Sémantique fonctionnelle*, de Claude Germain (Paris, Presses universitaires de France, coll. Le Linguiste, 1981).

• Jean Delisle, dans *L'Analyse du discours comme méthode de traduction* (Ottawa, Éd. de l'Université d'Ottawa, coll. Cahiers de traductologie, n° 2, 1980), aborde avec une grande clarté « L'exégèse lexicale » (p. 101-112) et propose un exercice (p. 149-158) qui « a pour but d'habituer l'apprenti-traducteur à trouver par la réflexion et l'analyse contextuelle le sens de mots difficiles à interpréter » (tels « les termes à contenu vague et à très haute fréquence » : *approach*, *control*, *design*, *pattern*, *policy*, *process*). À pratiquer.

• À pratiquer aussi, dans *Stylistique comparée du français et de l'anglais*, de Jean-Paul Vinay et Jean Darbelnet, et dans les *Cahiers d'exercices* correspondants, « Les procédés techniques de la traduction » (introduction, p. 46-55) et « Le lexique » (chapitre premier, p. 58-90). Pour une étude approfondie des procédés, lire surtout Jean-Paul Vinay, « La traduction humaine ».

• Les travaux d'Eugene Nida abondent en exemples exotiques illustrant que « chaque langue possède sa propre collection de mots, tout comme chaque nation possède sa propre monnaie [...] En kaka, langue du Cameroun, il n'existe pas de mot pour désigner l'inceste, mais les gens savent très bien ce qu'est un inceste, et il leur arrive souvent d'en parler. Pour cela, ils utilisent une périphrase au lieu d'un mot unique. Le fait que l'inceste ne soit pas désigné par une unité lexicale simple ne veut pas du tout dire que le concept n'existe pas pour le locuteur kaka. » (« Words and Thoughts », dans *Language Structure and Translation*, Stanford [Californie], Stanford University Press, 1975, p. 184 et 186 ; passages traduits par nous.)

CHAPITRE V

MORPHOSYNTAXE*

Le chapitre précédent a montré que les unités lexicales fournissent la partie la plus riche du contenu d'un énoncé. Mais cette constatation ne doit pas dissimuler cet autre fait, généralement moins bien perçu : *les structures grammaticales, qui sont aussi douées de sens, sont indispensables à la signification des énoncés.*

Il n'est sans doute pas inutile d'insister là-dessus.

Une séquence comme ***tuer homme taureau**, qui représente le degré zéro de grammaticalité, n'a pas encore de sens[1]. Pour qu'elle en acquière un et devienne un énoncé véritable renvoyant à une situation extra-linguistique pré-

*Ce chapitre a été rédigé à partir d'un article de Christine Klein-Lataud et Claude Tatilon, paru dans la revue *Meta* (vol. 31, n° 4, déc. 1986, p. 370-376) sous le titre : « La traduction des structures grammaticales ».

1. À ce propos, on lira avec intérêt le texte de Roman Jakobson, « La notion de signification grammaticale selon Boas », dans son ouvrage *Essais de linguistique générale*, traduit de l'anglais et préfacé par Nicolas Ruwet (Paris, Éd. de Minuit, coll. Points, 1963), p. 197-206.

cise, il faut que soit introduite l'information grammaticale adéquate :

L'homme a tué un taureau.

ou

Le taureau vient de tuer un homme.

ou

Un homme va tuer ce taureau.

Le passage suivant (relevé dans un roman africain, *Les Bouts de bois de Dieu*, d'Ousmane Sembène) :

Vendredi pas pâti... lui manzer riz, moi couper cou! Enfants beaucoup faim, Vendredi manzer riz enfants. Moi venir avec toi, Vendredi pas venir, Vendredi pour manzer[2].

n'est pas d'une grande clarté. Néanmoins, malgré l'obscurité de la situation (qui parle? quels sont les personnages mentionnés — toi, Vendredi, les enfants?) et malgré le charabia du locuteur, un sens se laisse deviner : Vendredi (il s'agit en fait d'un mouton) a volé la nourriture des enfants et doit être puni de mort. Cela, nous le devinons grâce à la grammaire, présente ici sous sa forme la plus sommaire dans l'ordre des mots (soulignés par la ponctuation) et dans leur nature (noms, pronoms, négations, infinitifs, un participe passé, prépositions, un adverbe).

Prenons maintenant un exemple grammaticalement correct pour illustrer une dernière fois la contribution importante des structures grammaticales au sens d'un énoncé. Dans **Il t'amènera à la gare à sept heures**, en plus de l'ordre des mots (distribuant les rôles des participants et indiquant que **sept** porte sur **heures**), on trouve successivement **Il** qui désigne un agent, de sexe masculin, déjà connu, **t(e)** qui

2. Ousmane Sembène, *Les Bouts de bois de Dieu*, Paris, Press Pocket, 1973 (Le Livre contemporain, 1960), p. 124.

désigne un bénéficiaire-allocutaire également connu, **-era** qui précise que l'action doit avoir lieu dans le futur, **à** qui marque ici la destination, **la** qui indique que la réalité désignée par le nom qui suit est déjà connue et **à**, de nouveau, qui marque cette fois que l'action se situe dans un point du temps indiqué par les mots qui suivent. Sans ces précisions grammaticales, il n'y aurait pas grand-chose à comprendre aux seules unités lexicales : **amener, gare, heure, sept**.

1. L'information grammaticale

La sémantique grammaticale est une réalité complexe. Dans chaque langue, les structures grammaticales véhiculent de nombreux signifiés. Par exemple, pour le français[3] :

a) **Signifiés déterminant le nom :**
« sexe » : épiciÈRE, vendEUSE ;
« nombre » : amirAUX, animAUX ;
« défini » / « indéfini » : LE chien / UN chien ;
« possession » : SON livre ;
« proximité » / « éloignement » : CE gâteau-CI / CE gâteau-LÀ.

b) **Modalités déterminant le verbe :**
temps, modes, aspects, voix.

c) **Signifiés de relation :**
« agent » / « patient » : JACQUES a vu PAUL ;
« attribution » : il a donné le livre à PAUL ;
« temporalité » : À huit heures ;
« spatialité » : À la gare (situation dans l'espace, direction vers) ;
« addition » : il est grand ET fort ;
« opposition » : il est petit MAIS fort.

Cette liste ne prétend pas épuiser les ressources sémantiques des structures grammaticales du français ; elle veut

3. Cette partie s'inspire d'André Martinet, *Grammaire fonctionnelle du français*, Paris, Didier-Crédif, 1979.

seulement donner un aperçu de la grande diversité des signifiés grammaticaux dont disposent les utilisateurs d'une langue, ici le français.

En outre, pour mieux rendre compte de la complexité de la sémantique grammaticale, il faut aussi évoquer les phénomènes de polysémie et de synonymie :

d) **Polysémie :**

Aujourd'hui, il TRAVAILLE toute la journée mais demain il RESTE chez lui.

(Le second présent a ici valeur de futur.)

LE MINI-ORDINATEUR est en train d'envahir nos foyers.

(Le singulier a ici valeur de pluriel.)

e) **Synonymie :**

Ses parents l'aiment : Il est aimé de ses parents.

La synonymie grammaticale existe, elle aussi, même si, le plus souvent, une différence structurale est porteuse d'une information différente, par exemple :

Il BUVAIT, et il est mort.

(Cirrhose du foie.)

Elle A BU, et elle est morte.

(Empoisonnement.)

Cette complexité de la sémantique grammaticale, le traducteur ne devra jamais la perdre de vue, s'il veut parvenir correctement, d'abord à démêler l'écheveau des significations du texte à traduire pour ensuite les traduire dans toutes leurs subtilités. Et l'apprenant pareillement, s'il veut acquérir une bonne compétence dans la langue étudiée, condition nécessaire de la créativité linguistique.

2. Différences séparant les grammaires

Les observations qui précèdent ont mis en évidence la richesse sémantique contenue dans les structures grammaticales. Il convient maintenant d'insister sur les nombreuses différences, de deux ordres — formelles et sémantiques — qui séparent deux systèmes grammaticaux :

- structures de nature différente, exprimant un même signifié ;
- signifiés, imposés par les structures, ne pouvant pas être rendus par celles de l'autre langue.

a) **Différences d'ordre structural.**

Que la différence soit ici de règle peut paraître évident, puisqu'il est parfaitement admis que toute langue possède un système grammatical qui lui est propre. Mais les écarts formels entre deux structures synonymes, parfois impressionnants, peuvent dérouter le traducteur. Que l'on songe, par exemple, à l'expression d'un signifié comme l'obligation. L'énoncé latin *Delenda est Carthago* ne se traduit pas directement en français **(*Carthage est devant être détruite)** et doit se rendre par **Il faut détruire Carthage** ou par une autre paraphrase, **Il faut que Carthage soit détruite**, par exemple. Et que dire de la forme, pour nous des plus alambiquées, que prend l'expression de ce signifié en japonais qui dit, littéralement : « Si je n'y vais pas, ce n'est pas bien », là où le français dirait « naturellement » : **Il faut que j'y aille** ou **Je dois y aller** ?

Même avec l'anglais, parfois... :

See him to the door.
Reconduisez-le.

To dream one's life away.
Passer sa vie à rêver.

De la vigilance, donc. Mais pas d'inquiétude cependant : on trouvera toujours, à condition de s'en donner la peine, une manière appropriée de rendre l'information grammaticale en langue d'arrivée, cette information fût-elle enfermée dans la plus idiomatique des structures de départ.

b) **Différences d'ordre sémantique.**

i) Premier niveau : celui de la dénotation.

Chaque langue, par son système morphosyntaxique, impose à ses utilisateurs des signifiés à transmettre, qui ne se retrouvent pas forcément tous dans les autres langues. Pour illustrer ce point, prenons quelques exemples empruntés aux systèmes des personnels et des possessifs.

En cri, langue amérindienne, il existe deux formes de **nous**, l'une dite inclusive, qui inclut l'allocutaire (**je** + **tu** / **vous** + éventuellement d'autres personnes), l'autre dite exclusive, qui l'exclut (**je** + d'autres personnes). En japonais, les formes multiples du **je** servent à marquer la hiérarchie sociale. Ni l'anglais ni le français ne font ces distinctions : il y a donc déperdition de sens quand on traduit vers ces langues. Cependant, s'il juge pertinente l'information perdue, le traducteur peut toujours la récupérer en explicitant : **Nous partirons** SANS TOI, pour le **nous** exclusif du cri, par exemple.

De la même manière, on peut trouver des compensations lexicales pour rendre en anglais l'opposition **vous** / **tu** du français, en utilisant des indices de familiarité choisis en fonction des relations sociales entre les locuteurs.

Le système des possessifs varie lui aussi d'une langue à l'autre. Le cri, de nouveau, évite l'ambiguïté d'un énoncé tel que *John saw his older brother at* HIS *house*, parce que le possessif prendrait une forme différente selon qu'il s'agirait de la maison de John ou de celle de son frère (dans ce deuxième cas, le possessif qui représenterait le participant le moins en vue porterait une marque particulière, celle de l'« obviatif »).

Le système français, réglé sur le genre de l'objet possédé et non sur le sexe du possesseur, est encore plus ambigu : là où l'anglais distingue entre *John saw his sister at* HER *shop* et *John saw his sister at* HIS *shop*, le français confond les deux, **Jean a vu**

sa sœur dans SA boutique. Ici encore, il faut compter avec le contexte et, éventuellement, compenser s'il y a perte d'une information importante. Ainsi le poète canadien Frank Scott, traducteur d'Anne Hébert, nous donne un bel exemple d'utilisation du système morphosyntaxique de la langue d'arrivée pour restituer une information impossible à rendre par les mêmes moyens. Il s'agissait de traduire le vers suivant :

CETTE enfant fut-elle liée par la cheville / [...] ?

La première traduction avait été :

Was THIS child tied by the ankle / [...] ?

Mais une information que l'auteur, Anne Hébert, jugea essentielle avait été effacée : le sexe de l'enfant, indiqué en français par l'adjectif démonstratif. Soucieux d'améliorer son texte, Frank Scott confia alors à un possessif l'information que ne pouvait porter le démonstratif. Il parvint ainsi à cette version finale, parfaitement satisfaisante :

Was this child tied by HER *ankle*[4] / [...] ?

ii) Deuxième niveau : celui de la connotation.

Il a été précisé plus haut qu'une différence de structure engendrait en général une différence sémantique (**buvait / a bu**). Voici un nouvel exemple du phénomène : « **BIZARREMENT, l'enfant marche** (on ne s'attendait pas à cela de la part de cet enfant) et **L'enfant marche BIZARREMENT** (sa façon de marcher étonne[5]) ». Le même adverbe, employé dans un même contexte mais à une place différente qui change son point d'incidence (situé au niveau de l'énonciation dans le premier cas, au niveau de l'énoncé dans le second), est responsable d'un profond changement sémantique d'ordre dénotatif.

Mais un tel exemple ne doit pas faire perdre de vue que les

4. Anne Hébert et Frank Scott, *Dialogue sur la traduction*, Montréal, Éd. HMH, 1970, p. 65.

5. André Martinet, *Grammaire fonctionnelle du français*, *op. cit.*, p. 133.

effets sémantiques produits par des variations grammaticales peuvent être aussi de nature connotative : non moins que le lexique, la grammaire est riche en nuances socioculturelles. Dans le paradigme suivant :

Il m'a dit : « Tant pis ! »
« Tant pis ! » m'a-t-il dit.
« Tant pis ! » qu'il m'a dit.

seule la syntaxe indique le registre de langage. Aux formes courantes s'opposent les formes dites familières ou populaires (par exemple, la série de subjonctifs **qu'il *aye, *soye, *voye**), aux constructions non marquées s'opposent les constructions marquées :

☐ **Registre standard / registre populaire.** Par exemple :

aller CHEZ le coiffeur / aller AU coiffeur
le mari DE ma sœur / le mari À ma sœur
pourquoi / pourquoi QUE.

☐ **Registre recherché.** Par exemple : l'imparfait du subjonctif, qui fonctionne aujourd'hui comme un signal de « beau langage ». Ainsi, le narrateur de *La Chute*, d'Albert Camus, qui vient d'employer à dessein la forme **que je fisse**, constate que le signal a fonctionné : « Ah ! je vois que vous bronchez sur cet imparfait du subjonctif ». Le traducteur anglais se trouve ici devant ce problème : rendre une marque stylistique portée par une forme grammaticale qui n'existe pas en langue d'arrivée. En l'occurrence, Justin O'Brien a su trouver une forme grammaticale anglaise véhiculant la même connotation « recherchée » que l'imparfait du subjonctif en français, à savoir le présent du même mode : « *If that be foolish . . . . Ah, I see you smile at that use of the subjunctive*[6] ».

6. Albert Camus, *La Chute*, Paris, Gallimard, 1956, p. 10 ; *id.*, *The Fall*, traduit du français par Justin O'Brien, New York, Alfred A. Knopf, 1957, p. 7.

SOMMAIRE

• Structures et règles grammaticales assurent la correction idiomatique (ou grammaticalité) et l'efficacité sémantique des énoncés produits dans une langue donnée.

• Règles et structures variant d'une langue à l'autre, le traducteur devra se livrer à un jeu précis d'équivalences grammaticales, afin de rester au service du sens et de la grammaticalité.

• On constate parfois que certains signifiés imposés par les structures grammaticales d'une langue ne peuvent pas être exprimés par celles d'une autre : le traducteur devra alors décider de l'importance de ces signifiés et s'ils doivent être conservés. Dans l'affirmative, il les exprimera, en langue d'arrivée, par d'autres moyens, lexicaux (le plus souvent) ou stylistiques.

APPLICATIONS

1. Différences structurales

a) Les exercices de traduction révèlent de très nombreuses différences structurales. Les faire répertorier au fur et à mesure des corrections. Par exemple :

J'aime Newport, SES arbres, SES avenues, SES ponts.
I love Newport, THE trees, THE avenues, THE bridges[7].

(Transposition : adjectif possessif / article.)

He generally comes ON SUNDAYS.
Il vient généralement LE DIMANCHE[8].

(Transposition : pluriel / singulier.)

It is POPULARLY *supposed that...*
LES GENS se figurent que[9]...

(Transposition : adverbe / nom.)

b) On portera une attention toute particulière aux « faux-amis de structure » (Vinay et Darbelnet). En effet, comme le fait remarquer Jean Delisle, « les constructions superficiellement comparables entre deux langues recouvrent souvent des relations sémantiques profondément différentes [...]. *I don't think much of her.* **Je ne la tiens pas en grande estime. Je n'en pense guère de bien.** (Et non pas : **Je ne pense**

7. Jacqueline Guillemin-Flescher, *Syntaxe comparée du français et de l'anglais (problèmes de traduction)*, Paris, Éd. Ophrys, 1981, p. 293.
8. Michel Ballard, *La Traduction de l'anglais, théorie et pratique : exercices de morphosyntaxe*, Lille, Presses universitaires de Lille, 1980, p. 31.
9. Jean-Paul Vinay et Jean Darbelnet, *Stylistique comparée...*, *op. laud.*, p. 98. — Ces auteurs définissent ainsi la transposition : « Procédé par lequel un *signifié* change de catégorie grammaticale ». Sans préciser, toutefois, comment doit être entendu « catégorie grammaticale » (tous les morphèmes y compris les modalités ?). Nous utilisons le terme dans le sens le plus large pour désigner tout changement grammatical.

pas beaucoup à elle[10]**.)** » Pareillement, *That's saying a lot* a pour équivalent **Ce n'est pas peu dire** et non **C'est beaucoup dire**, qui se traduit par *That's going rather far*[11]. Ou encore, *Be sure that...* a pour équivalent, non pas **Soyez sûr que...**, qui se dirait *You can be sure that...*, mais **Assurez-vous que**[12]...

c) Lorsqu'une différence structurale a été identifiée, on fera chercher, pour les commenter ensuite, des paraphrases acceptables en langue d'arrivée :

He generally comes ON SUNDAYS.
Il vient généralement LE DIMANCHE.
C'est LE DIMANCHE qu'il vient habituellement.

(Dans ce dernier cas, **habituellement** est déplaçable.) **Il vient habituellement TOUS LES DIMANCHES** est une formulation moins recommandable : la précision du syntagme **tous les dimanches** s'accommode mal de l'imprécision de l'adverbe **habituellement**. Quant à **Il vient TOUS LES DIMANCHES**, ce serait en l'occurrence une traduction abusive. Autre exemple :

They came in with THEIR HATS *under* THEIR ARMS.
Ils entrèrent, LE CHAPEAU sous LE BRAS.
Ils entrèrent, LEUR CHAPEAU sous LE BRAS.

(sous LEUR bras nous paraît d'un usage beaucoup moins fréquent.)

2. Analyse comparative de l'information grammaticale

On fera maintenant porter l'attention prioritairement sur les différences sémantiques que présentent certaines struc-

10. Jean Delisle, *L'Analyse du discours comme méthode de traduction*, Ottawa, Éd. de l'Université d'Ottawa, coll. Cahiers de traductologie, n° 2, 1980, p. 166.
11. Voir Jean-Paul Vinay et Jean Darbelnet, *Stylistique comparée...*, *op. laud.*, p. 171.
12. *Ibid.*

tures grammaticales équivalentes (ci-dessus : *sundayS* / **dimanche** ; *hatS* / **chapeau**).

> *It's my* BETTER *ear.*
> C'est ma BONNE oreille[13].

(Comparatif / positif de l'adjectif.)

> Je ME RAPPELAI des histoires : comment j'AVAIS CHÔMÉ pendant trois mois en 1926, comment j'AVAIS MANQUÉ crever de faim.
> *I* REMEMBERED *my whole life : how I* WAS *out of work for three months in 1926, how I almost* STARVED *to death*[14].

(Le français marque, par le plus-que-parfait, l'antériorité des actions des deuxième et troisième verbes par rapport à celle du premier. L'anglais n'indique pas cette nuance sémantique.)

> Il gagna le toit. L'homme qui s'accrochait au faîte FAIBLISSAIT : il le remplaça.
> *He made his way up to the roof. The man who was clinging on up at the top* WAS BEGINNING TO WEAKEN *: he took his place*[15].

(Le sémantisme des deux procès — **s'accrochait** et **faiblissait** — implique que, s'ils sont régis par le même terme origine **[l'homme]**, le premier doit avoir commencé avant le deuxième. En français, rien n'indique ce décalage chronologique ; c'est le marqueur d'inchoation *[begin]* qui le soulignera en anglais.)

13. Jean Delisle, *L'Analyse du discours...*, *op. cit.*, p. 174.
14. Extrait du *Mur*, de Jean-Paul Sartre, traduit par L. Alexander ; exemple cité par Jacqueline Guillemin-Flescher, *Syntaxe comparée...*, *op. cit.*, p. 33.
15. Extrait de *La Condition humaine*, d'André Malraux, traduit par A. Macdonald ; exemple cité par Jacqueline Guillemin-Flescher, *Syntaxe comparée...*, *op. cit.*, p. 70.

SUGGESTIONS DE LECTURES

Pour les exercices comparatifs du domaine anglo-français, les ouvrages les plus utiles sont, à notre avis :

- Celui, ancien mais toujours précieux, de Vinay et Darbelnet, *Stylistique comparée*..., accompagné de ses deux *Cahiers d'exercices*.

- Jacqueline Guillemin-Flescher, *Syntaxe comparée du français et de l'anglais (problèmes de traduction)*, Paris, Éd. Ophrys, 1981. Cet ouvrage s'inscrit dans la lignée du précédent (on notera la frappante ressemblance des deux titres), mais en renouvelle profondément les analyses.

- Jean Delisle, *L'Analyse du discours comme méthode de traduction*, Ottawa, Éd. de l'Université d'Ottawa, coll. Cahiers de traductologie, n° 2, 1980 (avec son *Livre du maître*).

- Michel Ballard, *La Traduction de l'anglais, théorie et pratique : exercices de morphosyntaxe*, Lille, Presses universitaires de Lille, 1980. — Analyses claires, précises. Nombreux exercices.

Autres travaux cités :

- Anne Hébert et Frank Scott, *Dialogue sur la traduction : à propos du* **Tombeau des rois**, Montréal, Éd. HMH, coll. Sur parole, 1970.

- Roman Jakobson, « La notion de signification grammaticale selon Boas », *Essais de linguistique générale*, traduit de l'anglais et préfacé par Nicolas Ruwet, Paris, Éd. de Minuit, coll. Points, 1963, p. 197-206.

- André Martinet, *Grammaire fonctionnelle du français*, Paris, Didier-Crédif, 1979.

TROISIÈME PARTIE

PROBLÈMES AU NIVEAU DU STYLE

Le problème qui se pose en premier, à ce niveau, est celui de la définition du terme très imprécis de style. *Nous l'entendons ici de deux manières différentes, qu'il convient de bien distinguer :*

• Style 1 — *procédés d'écriture, à valeur signalétique, relevant de* conventions stylistiques *(chapitre VI).*

• Style 2 — *faits d'écriture, à valeur artistique, résultant d'*inventions stylistiques *(chapitre VII).*

*Dans les deux cas, il s'agit de phénomènes d'*ÉCRITURE, *c'est-à-dire de phénomènes appartenant à la matérialité linguistique de l'énoncé. Mais la stratégie de traduction sera différente pour chacun des deux cas, compte tenu de l'origine des phénomènes et des effets qu'ils produisent sur les lecteurs.*

CHAPITRE VI

LES CONVENTIONS STYLISTIQUES

Il est assez courant de parler de style, au sens large (ici *style 1*), pour désigner certains procédés d'écriture caractéristiques d'un *domaine professionnel* (« style » administratif, commercial, juridique...), d'un *genre rédactionnel* (« style » oratoire, télégraphique, « style » de la circulaire, du mode d'emploi, de la petite annonce...) ou d'un *registre de langage* (« style » soigné, familier, relâché...). Imposés par l'usage, ces procédés d'écriture transmettent une information que nous avons qualifiée plus haut, aux pages 9 et suiv., de *pragmatique*, parce qu'elle informe sur le discours du texte et non sur son objet.

Cette information, qui signale le type du texte à traduire, est à conserver dans celui d'arrivée. Les formes qu'elle prend d'une langue à l'autre pouvant être fort différentes, sa traduction consiste le plus souvent en une simple équivalence[1] : ainsi, pour une formule comme **Veuillez agréer l'expression de...**, indicatrice du genre épistolaire et d'un registre poli, la bonne traduction anglaise aura recours, non pas à un calque de structure (qui se chargerait d'une information parasite : « gallicisme » + « formulation ridicule »), mais à un stéréotype équivalent : *Sincerely Yours*. À l'inverse, la formule anglaise *I look forward to seeing you*, pour laquelle une traduction directe aboutirait à du pur charabia (***Je regarde en avant pour voyant vous**), se traduira naturellement par une autre formule épistolaire consacrée par l'usage, telle : **Dans l'attente de vous rencontrer...**

Nous avons déjà rapporté, au chapitre III, certaines formules de panneaux routiers américains, « que prodigue aux usagers de la route une administration bienveillante : *KEEP TO THE RIGHT. NO PASSING. SLOW MEN AT WORK. STOP WHEN SCHOOL BUS STOPS* [...] *STAY IN SINGLE FILE* [...] *DUAL HIGHWAY ENDS.* » Les auteurs qui citent ces formules, habitués au ton plus impersonnel d'une administration nettement moins bienveillante, les font suivre de ce commentaire :

N'est-on pas frappé, à première lecture, du caractère presque paternel et doucement autoritaire de ces injonctions pararoutières ? On nous conseille de rester dans la même file de voitures, on nous enjoint de stopper si l'autobus scolaire (le *scolobus* ?) s'arrête aussi, de ralentir parce que plusieurs de nos contemporains sont en train de travailler, de noter enfin que le double ruban, séparé par un petit trottoir de verdure, va cesser dans quelques tours de roues. Pour des Français, tout cela n'a guère de résonance officielle. C'est plutôt comme si nous venions d'avoir, avec l'administration des ponts et chaussées de l'État de New-York, une courtoise conversa-

1. *Équivalence* au sens rigoureux où Vinay et Darbelnet entendent le terme : « Procédé de traduction qui rend compte de la même situation que dans l'original, en ayant recours à une rédaction entièrement différente. Ex. : " *the story so far* : résumé des chapitres précédents " » (glossaire de *Stylistique comparée*, *op. laud.*, p. 8, 9).

tion muette, sur des petits billets que nous glisserait subrepticement chaque nouveau massif d'érables rouges ou d'épinettes. — Charmante administration en vérité, qui a l'aimable attention de nous prévenir, au seuil d'une échappatoire pleine de promesses : *THIS SIGN LEGALLY CLOSES THIS ROAD* ! [...] En français, la démarche intellectuelle présidant à la rédaction d'écriteaux semblables eût été très différente [...] DÉFENSE DE DOUBLER. RALENTIR TRAVAUX. RALENTIR ÉCOLE[2].

La stratégie de traduction est donc ici fort simple, se limitant au procédé de l'équivalence, mais elle exige du traducteur une connaissance très sûre des *conventions stylistiques* respectives.

Connaissance qui semble avoir fait défaut au traducteur anglais de *Voyage au bout de la nuit*, qui a oublié, nous semble-t-il, une partie de l'essentiel en ne restituant pas dans sa langue les innombrables marques morphosyntaxiques du registre populaire utilisé par Céline. Prenons-en pour preuve cette conversation entre deux soldats :

« Dis donc, Kersuzon, que je lui dis, c'est les Ardennes ici tu sais... Tu ne vois rien toi loin devant nous ? Moi, je vois rien du tout...

— C'est tout noir comme un cul », qu'il m'a répondu Kersuzon. Ça suffisait...

« Dis donc, t'as pas entendu parler de Barbagny toi dans la journée ? Par où que c'était ? que je lui ai demandé encore.

2. Jean-Paul Vinay et Jean Darbelnet, préface de *Stylistique comparée*. Du premier, cet autre exemple d'équivalence stylistique : « Je me promenais l'autre jour dans les allées des Butchart Gardens, célèbres pour leurs magnifiques parterres et leur absence de traduction. Il y avait là un robinet qui coulait, et il faisait chaud. On eût été tenté de boire, sans un écriteau comminatoire : *THIS WATER IS UNFIT FOR DRINKING*. Par une vieille habitude, j'ai tout de suite réfléchi à sa traduction. [...] Sur le plan officiel, impersonnel, administratif, il faudrait sans doute traduire tout simplement par **EAU NON POTABLE**. [...] On pourrait épiloguer longuement sur cet exemple : [...] la liberté de choix [...] n'est qu'apparente, [...] elle relève en fait d'une servitude, celle (particulièrement lourde en français) des niveaux stylistiques. » (« Statistique de la servitude en matière de traduction », *Meta*, vol. 25, n° 4, décembre 1980, p. 452.)

— Non. »

Et voilà.

On ne l'a jamais trouvé le Barbagny[3].

La syntaxe signale avec insistance le registre populaire : **que** remplaçant une inversion (**que je lui dis, où que c'était**), sujet ou objet renforcé (**tu... toi, l'... le Barbagny**), ellipse (**je vois rien**), apocope (**t'as**)... Voici ce que propose un traducteur :

"Listen, Kersuzon," I said to him. "We're in the Ardennes country here, you know. . . . Can you see anything ahead of us? I can't see anything at all."

"It's as black as your bottom," Kersuzon told me. Nothing more.

"Say, listen, haven't you heard any one mention Barbagny during the course of to-day? Or say where it was?" I asked him.

"No."

So there we were.

We never found Barbagny[4].

L'œuvre apparaît profondément dénaturée par l'adoption d'une syntaxe courante là où il aurait fallu trouver, dans la langue d'arrivée, des transgressions équivalentes à celles de la langue de départ.

3. Louis-Ferdinand Céline, *Voyage au bout de la nuit*, dans *Romans*, t. I, éd. présentée, établie et annotée par Henri Godard, Paris, Gallimard, coll. Bibliothèque de la Pléiade, 1981, p. 28.

4. *Id.*, *Journey to the End of Night*, traduit du français par John H. P. Marks, Boston, Little, Brown, & Co., 1934, p. 24.

SOMMAIRE

- Dans toute langue, il existe des marques stylistiques conventionnelles qui signalent l'appartenance des textes à un *domaine professionnel* (textes juridiques, commerciaux...), à un *genre rédactionnel* (style administratif, télégraphique...) et à un *registre de langage* (registre soigné, familier...).
- Ces marques stylistiques, le traducteur devra les analyser avec soin, avant d'en entreprendre la traduction.
- La traduction de ces marques consistera en une *équivalence*, c'est-à-dire en l'emploi d'une formulation correspondante en langue d'arrivée (**Veuillez agréer l'expression...** : *Sincerely Yours*).

APPLICATIONS

Les exercices proposés ci-dessous ont pour but de familiariser l'étudiant avec les marques stylistiques conventionnelles, qu'il devra s'habituer à repérer et à identifier dans les deux langues.

D'une manière générale, il lui sera conseillé de répertorier toutes celles qu'il rencontrera au cours de ses lectures, en les faisant suivre des marques correspondantes dans l'autre langue. Par exemple, pour le vaste domaine (morcelable) des avis au public, il pourra relever :

English spoken.
On parle français. (Magasin.)

For rent.
À louer. (Logement.)

Keep off grass!
Défense de marcher sur les pelouses. (Jardin public.)

(Ou même, plus fréquent en Amérique du Nord :

Please walk on the grass!

qui pose un problème culturel et reste, dans la plupart des pays francophones, sans équivalent réel.)

No dumping.
Décharge interdite. (Terrain vague.)

No vacancies.
Complet. (Hôtel.)

Open to the public.
Entrée libre. (Magasin.)

Post no bills.
Défense d'afficher. (Mur de ville.)

Soft shoulder.
Accotement dangereux. (Panneau routier.)

1. Exercices d'identification

Ces exercices, ainsi que les suivants, seront conçus de préférence à partir de textes courts et très marqués stylistiquement : annonces publicitaires, communiqués de presse, lettres commerciales, modes d'emploi, notices, petites annonces, posologies, recettes de cuisine, titres de journaux, tracts[5]...

Prenons, par exemple, une notice technique (plomberie) fournissant les « Instructions pour l'échange de la cartouche à levier monocommande des mitigeurs X » :

Démontage de la cartouche

1° Fermer les arrivées d'eau chaude et froide.

2° Mettre le levier de commande en position d'ouverture (vers le haut).

3° Dévisser l'écrou B avec la clé n° 7465 et dégager la cartouche A en tirant vers le haut.

4° Extraire à l'aide d'une pince à long bec *toutes* les pièces se trouvant au fond du corps H, soit : disque D, platine F et douilles de centrage G. (Ne pas les réutiliser.)

Dans ce texte où tout, présentation et rédaction, est mis au service de la clarté, nombreuses sont les marques caractérisant le style rédactionnel :

— la *typographie*, d'abord (numérotation et alinéas mettent en relief l'ordre dans lequel doivent se dérouler les opérations de démontage ;

5. Pour l'analyse des marques textuelles, on lira avec profit l'ouvrage de Sophie Moirand, *Situations d'écrit* (Paris, CLE international, coll. Didactique des langues étrangères, 1979) ainsi que, dans le n° 35 de *Langue française*, les trois articles mentionnés ci-après dans les **Suggestions de lectures**.

— les lettres (B, A, H, D, F, G) qui renvoient à un *schéma* figurant sur la notice) ;

— la rédaction *technique*, caractérisée par l'emploi de l'infinitif[6], par l'abondance des termes techniques[7] et par la transparence de la syntaxe (phrases courtes, collant parfaitement au déroulement des opérations[8]).

Prenons maintenant ce poème, texte liminaire d'un livre de lecture pour enfants de sept ou huit ans :

> Voici des contes roses
> Pour mes petits amis.
> Ils vous diront des choses
> Qui font rêver la nuit.
>
> Ils parleront de fées,
> D'animaux et de fleurs,
> De l'hiver, de l'été,
> De ciel bleu, de bonheur.
>
> Voici des contes roses
> Qui vous diront des choses,
> Qui vous amuseront
> À l'heure des leçons[9].

Dans ce poème, s'imposent à l'attention les marques conventionnelles suivantes :

— la *versification*, très simple : trois quatrains en vers

6. Trait caractéristique dominant des styles technique et administratif.

7. Nous relevons : **cartouche** (trois fois), **levier monocommande, mitigeur, démontage, arrivée d'eau, levier de commande, position d'ouverture, dévisser, écrou, clé, extraire, pince à long bec, pièces, corps, disque, platine, douille de centrage** ; soit une vingtaine de termes techniques pour une trentaine d'unités lexicales.

8. Comparer avec : « Le dévissage de l'écrou B nécessite une clé n° 7465. Avant d'effectuer cette opération, il faudra mettre le levier de commande en position d'ouverture (vers le haut), non sans s'être assuré au préalable de la fermeture des arrivées d'eau chaude et froide. »

9. Gérard-A. Dubé et Andrée Soucie-Dubé, *Contes roses*, Montréal, Guérin, 1978, p. 14.

de six syllabes, à rimes croisées (1re et 2e strophes) et plates (3e strophe) ;

— les *reprises*, caractéristiques de l'usage poétique : **Voici des contes roses** (v. 1 et 9), **Ils / Qui vous diront des choses** (v. 3 et 10) ;

— la *syntaxe* et le *vocabulaire*, bien adaptés dans leur simplicité aux destinataires du poème.

Troisième exemple, cette annonce publicitaire :

> *X's new* HAIR CARE *starts with two new dynamic shampoos your hair can thrive on.*
>
> *Now. Glorious hair. Hair that shines and swings. Healthy-healthy-looking hair.*

dans laquelle on retrouve deux traits dominants de la rédaction publicitaire :

— le *vocabulaire laudatif* (*now, new* [deux fois], *care, dynamic, thrive, glorious, shine, swing, healthy* [deux fois]) qui s'étend à la moitié des unités lexicales du texte ;

— des *procédés d'écriture « accrocheurs »* (morcellement typographique du deuxième paragraphe formé d'unités asyntaxiques, redoublement du composé *healthy-healthy-looking*) qui rendent plus lisible le message publicitaire en mettant en valeur les termes laudatifs dont le texte est gorgé[10].

Il faudra toutefois se garder de voir partout des marques stylistiques conventionnelles. Soit le texte suivant :

> Le grand intérêt du transistor, par rapport à la triode classique, est son faible encombrement qui a rendu possible la miniaturisation des circuits. On ne peut diminuer les dimensions d'un poste radio sans y remplacer les triodes classiques par des transistors, à tel point qu'on donne couramment le nom de *transistor* au récepteur radio lui-

10. À ce propos, on peut lire Nicole Bachala, Alain Bentolila et Vera Carvalho, « Structures syntaxiques des textes publicitaires », *Langue française*, no 35, septembre 1977, p. 107-112, ainsi que Claude Tatilon, « Traduire la parole publicitaire », *La Linguistique*, vol. 14, no 1, 1978, p. 76-87.

même. Le transistor a permis la naissance des circuits intégrés, circuits extrêmement petits, sans lesquels les puissants ordinateurs actuels n'auraient pu voir le jour : il y a, dans un ordinateur, en plus d'autres composants, l'équivalent d'une centaine de milliers de lampes à plusieurs électrodes[11].

Ce texte appartient, sans erreur possible, au domaine technique : **transistor, triode, miniaturisation des circuits, circuits intégrés**, etc. Mais il s'agit d'un texte de vulgarisation, dépourvu de marques conventionnelles. Il est rédigé dans un registre courant et d'une écriture « blanche », sans recherche particulière, si ce n'est celle de la clarté et de la lisibilité[12].

2. Exercices de reformulation

Il s'agit maintenant de faire récrire un texte, dans la même langue, avec une variation de registre ou de style rédactionnel.

Ainsi, le texte technique précédent, destiné au grand public, pourra-t-il être modifié en vue de mieux convenir à un jeune public d'adolescents. L'exercice consistera alors en un changement de registre (plus familier) et une simplification du contenu :

Savez-vous ce qui fait le grand intérêt du transistor ? C'est, bien sûr, son très faible encombrement qui a rendu possible la fabrication de circuits électroniques miniatures. On a pu, par exemple, diminuer les dimensions des postes de radio (jusqu'à les rendre transportables dans une de nos poches !) en remplaçant leurs volumineuses lampes par de minuscules transistors ; c'est pour cela qu'aujourd'hui vous appelez votre radio un *transistor*. Quant à nos puissants ordinateurs

11. *Le Grand livre des techniques* (Paris, Éd. des Deux Coqs d'or, 1978), article « Électronique», p. 152.

12. Sur la *lisibilité*, notion psycholinguistique importante pour l'étude du style rédactionnel, voir les travaux de François Richaudeau (dans lesquels la lisibilité est définie à partir de trois paramètres : brièveté des énoncés, familiarité lexicale, simplicité syntaxique).

actuels, ils doivent aussi leur existence aux transistors, qui fournissent à peu près pour un seul ordinateur une puissance comparable à celle que fourniraient 100 000 grosses lampes !

De même, une convocation présentée en ces termes, sous forme de circulaire :

Reprise des travaux de la commission sous la haute présidence de M. Albert Lambert, ambassadeur de France, le jeudi 15 octobre, à 15 h 30, dans la salle du Conseil.

pourra devenir, transformée en lettre personnelle :

Monsieur et cher Collègue,

J'ai l'honneur de vous informer de la reprise des travaux de notre commission sous la haute présidence de...

Trouvez ici, cher Collègue, l'expression de...

3. Exercices de traduction

Par exemple, traduction française du texte publicitaire proposé plus haut :

Le nouveau *Hair Care* de X lance deux shampooings incomparables qui feront le bonheur de vos cheveux.

Dès aujourd'hui. Une splendide chevelure, brillante et ondulante. Une chevelure éclatante de santé.

On peut aussi se livrer à une analyse comparative de deux textes parallèles pour en faire ressortir les divergences. Ci-dessous, un exemple de lettre française (dite *à trois alignements*[13]) accompagnée de sa traduction anglaise (présentée en un seul alignement, ou *block style*[14]).

13. *Cf.* Hélène Cajolet-Laganière, *Le français au bureau*, 2e éd. revue et augmentée, Québec, Éditeur officiel du Québec, coll. Cahiers de l'Office de la langue française, 1982, p. 31-32.

14. Voir *The Canadian Style: A Guide to Writing and Editing*, Ottawa, Secrétariat d'État / Dundurn Press, 1985, p. 188, 193.

Monsieur le Directeur,

J'ai bien reçu votre lettre du 10 courant et vous en remercie. Ayant lu attentivement le rapport qui l'accompagnait, je note avec satisfaction que la Direction des études spéciales de votre bureau [...].

Je me permets respectueusement de vous faire remarquer que les problèmes que je viens de vous décrire méritent une attention immédiate. J'espère avoir très bientôt l'occasion de prendre connaissance de ce que vous suggérez et recommandez que nous fassions en vue de leur règlement.

Veuillez agréer, Monsieur le Directeur, l'expression de mes sentiments dévoués.

Le président,

Jean Ladouceur

Dear Mr. Smith:

Thank you for your letter of January 10. I have read the report which came with it very carefully, and I am pleased to see that your office's Special Studies Service [...].

May I respectfully suggest that the problems I have just described deserve your immediate attention. I hope that very soon I will be able to study your suggestions and recommendations on how to solve them.

Yours sincerely,

Jean Ladouceur
Chairman

SUGGESTIONS DE LECTURES

• La première référence sera le n° 35 (septembre 1977) de *Langue française*, dans lequel sont à lire, en ce qui concerne les marques stylistiques conventionnelles, les trois articles :

— « Structures syntaxiques des textes publicitaires », de Nicole Bachala, Alain Bentolila et Vera Carvalho (p. 107-112) ;

— « Télégrammes stop caractéristiques », de Vera Carvalho (p. 113-116) ;

— « Éléments pour une syntaxe des termes d'adresse », de Frank Alvarez-Pereyre (p. 117-119).

On lira encore :

• Jean Maillot, *La Traduction scientifique et technique*, Paris, Eyrolles, 1969.

• Sophie Moirand, *Situations d'écrit*, Paris, CLE international, coll. Didactique des langues étrangères, 1979.

• François Richaudeau, *La Lisibilité*, Paris, Denoël, 1969.

• *Id.*, *Le Langage efficace*, Paris, Éd. Marabout, 1973.

• Claude Tatilon, « Traduire la parole publicitaire », *La Linguistique*, vol. 14, n° 1, 1978, p. 76-87.

CHAPITRE VII

LES INVENTIONS STYLISTIQUES*

Nous nous trouvons maintenant, avec le *style 2*, dans le domaine des *faits d'écriture ou de style*, phénomènes qui résultent d'une organisation particulière de la forme des énoncés, écrits en vue de produire des effets spéciaux, énumérés ci-dessous.

1. Effet de nature esthétique

Cet effet provient de faits de style obtenus par l'arrangement architectural, rythmique ou musical (recherche de l'euphonie) des signifiants — phonèmes, syllabes, accents.

Exemple 1 (arrangement architectural) :

Une servante entra, qui apportait la lampe.

(André Gide.)

* Ce chapitre reprend la plupart des exemples utilisés dans notre article sur « La traduction du style », *Multilingua* (Amsterdam), vol. 3, nº 1, 1984, p. 3-9.

(Égalité syllabique des deux membres de phrase, rendus parfaitement symétriques par le déplacement de la proposition relative. Cette disposition transforme du reste la phrase en vers alexandrin.)

Exemple 2 (arrangement rythmique) :

> Celui qui règne dans les cieux, et de qui relèvent tous les empires, à qui seul appartient la gloire, la majesté et l'indépendance, est aussi le seul qui se glorifie de faire la loi aux rois et de leur donner, quand il lui plaît, de grandes et terribles leçons.
>
> (Bossuet.)

(Période commençant par un rythme ternaire, renforcé à l'acmé — **l'indépendance, est** — par un autre rythme ternaire et se terminant sur un rythme binaire, renforcé à son tour par une clausule binaire.)

Exemple 3 (arrangement musical) :

> Les couchants langoureux des pensives Zélandes
>
> (Guillaume Apollinaire.)

(Assonances embrassées : OU / AN / AN / OU / AN / AN.)

2. Effet de nature ludique

Cet effet résulte de jongleries verbales exécutées, à des fins humoristiques, sur les signifiés aussi bien que sur les signifiants.

Exemple 4 :

> Y a un piano à queue, un aquarium aqueux, des divans accueillants, et des toiles de Picasso sur les murs.
>
> (San-Antonio.)

Exemple 5 :

> [...] mi-Andalouse mi-onduleuse.
>
> (Jacques Brel.)

Exemple 6 :

La grande dolichocéphale sur son sofa s'affale et fait la folle.

(Jacques Prévert.)

Exemple 7 :

Tic tac tic tac
Ta katie t'a quitté
Tic tac tic tac
T'es cocu, qu'attends-tu ?

(Boby Lapointe.)

(Allitérations en folie.)

3. Effets de nature sémantique

Ces effets sont de deux sortes :

a) **Premier effet : soulignement du sens**. L'expression, par son étrangeté formelle, attire l'attention sur le message.

Exemple 8 :

Tomorrow's Calculators Today!

(Publicité Sharp.)

(Symétrie : *Tomorrow... Today*.)

Exemple 9 :

On se croit mèche, on n'est que suif.

(Jacques Brel.)

(Variante imagée de : « On se croit important, mais on est peu de chose. »)

Le soulignement peut aller jusqu'aux phénomènes de *symbolisme verbal* où, sous l'influence du contexte, la forme se sémantise au point de donner l'impression d'exprimer le sens, non plus d'une manière arbitraire et conventionnelle, mais naturelle[1].

Exemple 10 :

> Pour qui sont ces serpents qui sifflent sur vos têtes ?
>
> (Racine.)

(La quintuple allitération de la sifflante *s* suggère le sifflement, qui est le signifié central du vers.)

Exemple 11 :

> Mais tout dort, et l'armée, et les vents, et Neptune.
>
> (Racine.)

(L'impression de sommeil est ici bien traduite formellement par des groupes rythmiques isochrones : 3-3-3-3.)

Exemple 12 :

> J'écris des signes, des riens, petitement, menu, menu.
>
> (Jules Renard.)

(L'idée de petitesse, déjà fortement exprimée par les mots, est encore suggérée par la fragmentation de la phrase.)

Exemple 13 :

> Le flot vient, s'enfuit, s'approche,
> Et bondit comme la cloche
> Dans le clocher,
> Puis tombe, et bondit encore,
> La vague immense et sonore
> Bat le rocher.
>
> (Victor Hugo.)

(Le mouvement de la strophe — coupes nombreuses, alter-

1. Voir notre étude, « Le symbole verbal : pièce à conviction du texte littéraire », dans *L'Analyse du discours / Discourse Analysis* (Montréal, Centre éducatif et culturel, 1976), p. 63-74.

nance régulière de mètres différents — semble imiter le martèlement des vagues.)

b) **Deuxième effet : agrandissement sémantique.**

Contrairement à ce qui se passe dans la communication courante, où les énoncés tendent à la clarté référentielle, l'effet d'agrandissement sémantique relève d'une utilisation particulière de la langue, qui favorise, voire cultive, l'ambiguïté et les connotations en vue d'un épaississement du sens, souvent jugé poétique.

Exemple 14 :

Marcel Proust, jouant en artiste des synesthésies, oppose en un double réseau connotatif « le grelot profus et criard qui arrosait, qui étourdissait au passage de son bruit ferrugineux, intarissable et glacé [...] » à la clochette au « double tintement timide, ovale et doré ».

Exemple 15 :

Dans la première scène de *La guerre de Troie n'aura pas lieu*, Jean Giraudoux confond Hector et le Destin en une même métaphore — celle d'un tigre — qui donne lieu, en fin de scène, à une adroite ambiguïté :

CASSANDRE. Et il monte sans bruit les escaliers du palais. Il pousse du mufle les portes... Le voilà... Le voilà...

LA VOIX D'HECTOR. Andromaque !

ANDROMAQUE. Tu mens ! C'est Hector !

CASSANDRE. Qui t'a dit autre chose ?

Exemple 16 :

Dans un de ses refrains, Aragon confie l'expression de l'allégresse à des images fortement suggestives :

Un jour pourtant un jour viendra couleur d'orange
Un jour de palme un jour de feuillages au front
Un jour d'épaule nue où les gens s'aimeront
Un jour comme un oiseau sur la plus haute branche.

4. Traduction des faits de style

Pour traduire ces faits de style, la démarche sera la même que celle adoptée au chapitre précédent : elle consistera à trouver, en langue d'arrivée, un arrangement formel (le plus souvent différent de celui du texte de départ) *porteur d'une information stylistique analogue, c'est-à-dire producteur des mêmes effets*.

Pour illustrer ces propos, prenons les quatre premiers paragraphes du roman d'Alain-Fournier, *Le Grand Meaulnes* :

> Il arriva chez nous un dimanche de novembre 189...
>
> Je continue à dire « chez nous », bien que la maison ne nous appartienne plus. Nous avons quitté le pays depuis bientôt quinze ans et nous n'y reviendrons certainement jamais.
>
> Nous habitions les bâtiments du Cours supérieur de Sainte-Agathe. Mon père, que j'appelais M. Saurel, comme les autres élèves, y dirigeait à la fois le Cours supérieur, où l'on préparait le brevet d'instituteur, et le Cours moyen. Ma mère faisait la petite classe.
>
> Une longue maison rouge, avec cinq portes vitrées, sous des vignes vierges, à l'extrémité du bourg ; une cour immense avec préaux et buanderie, qui ouvrait en avant sur le village par un grand portail ; sur le côté nord, la route où donnait une petite grille et qui menait vers la gare, à trois kilomètres ; au sud et par derrière, des champs, des jardins et des prés qui rejoignaient les faubourgs... tel est le plan sommaire de cette demeure où s'écoulèrent les jours les plus tourmentés et les plus chers de ma vie — demeure d'où partirent et où revinrent se briser, comme des vagues sur un rocher désert, nos aventures[2].

Si nous avions à traduire ce passage à la tonalité si délicatement nostalgique, en plus des nombreuses précisions référentielles qui ont leur importance pour la suite du récit, il faudrait aussi rendre avec précision le registre soigné du

2. Alain-Fournier, *Le Grand Meaulnes*, Paris, Émile-Paul Frères, éd., 1922, p. 1, 2.

narrateur — caractéristique quasi permanente du genre romanesque : *style 1* —, ainsi que l'image finale et la syntaxe élaborée de la dernière phrase (*style 2*).

Pour ce qui est du registre, recherché et familier à la fois, dans lequel s'exprime le narrateur, trop appuyer sur son aspect parlé reviendrait à produire une fausse note, qui s'entendrait tout au long de l'œuvre :

> *He showed up at our place one Sunday in November 189. . .*
>
> *I keep saying "our place" although the house isn't ours anymore. We left there almost 15 years ago now, and we'll certainly never go back.*

Il convient en effet de garder au ton toute sa gravité :

> *He arrived at our home one Saturday in November 189. . .*
>
> *I still say "our home", even though the house no longer belongs to us. It will soon be fifteen years since we left the area, and. . . .*

Quant à l'image finale, assimilant les aventures des enfants au ressac, elle est très habilement portée par une belle structure de soulignement du sens : d'une part, une vigoureuse mise en relief frappe le dernier mot, **aventures**, véritable point d'orgue de la page et mot-clé, s'il en est, du roman ; d'autre part, le mouvement de la queue de phrase (**demeure [...] nos aventures**), grâce à son rythme binaire (**d'où [...] et où**) et à sa suspension (**comme des vagues**), suggère de manière convaincante le va-et-vient de la mer. (À rapprocher du texte de Hugo cité antérieurement, ex. 13.) Comment rendre ce fait de style, avec son symbolisme et sa mise en relief ? Sera-t-il directement traduisible, en anglais par exemple ? Ce qui pourrait donner :

> *. . . an abode from which ebbed and flowed, like waves upon a deserted rock, our adventures.*

Ou faudra-t-il plutôt, afin de mieux respecter les habitudes de cette langue, étoffer le rejet ?

> *. . . upon a deserted rock, the tide of our adventures.*

Peut-être même devra-t-on y renoncer tout à fait ?

> *. . . ebbed and flowed our adventures, like waves upon a deserted rock.*

Au traducteur de décider. En toute lucidité.

Il ne faut évidemment pas se cacher que l'information stylistique est souvent délicate à apprécier, en particulier lorsqu'on a affaire à des constructions qui produisent des effets de nature esthétique. Qu'on se rappelle la discussion spécieuse de l'abbé Bremond, le champion de la « poésie pure », à propos du « vers-talisman » :

> Et les fruits passeront la promesse des fleurs.

dont la musicalité aurait été annihilée, selon lui, si Malherbe avait écrit « les promesses » !

Délicate à apprécier, aussi, l'information stylistique, lorsque les faits de style sont producteurs de plusieurs effets simultanés, tels les jeux de mots qui engendrent à la fois un effet ludique, par leur signification humoristique, et un effet de soulignement du sens, par leur étrangeté formelle. C'est le cas de ce vers de Georges Brassens :

> C'est la face cachée de la lune de miel.

avec son télescopage lexical ; ou de ce slogan publicitaire :

> AZZARO [eau de toilette]
> Pour les hommes qui aiment les femmes qui aiment les hommes !

avec sa litanie syntaxique ; ou encore de ce très célèbre slogan électoral :

> *I like Ike!*

Le pessimisme n'est cependant pas de rigueur, car ces faits

de style ne sont pas tous intraduisibles. Ainsi, le vers de Brassens peut très bien se rendre par :

> *It's the dark side of the honeymoon.*

(*Dark*, possible en anglais, est ici contextuellement préférable à *hidden*, à cause de sa valeur symbolique supplémentaire.) Le slogan du candidat Dwight Eisenhower pose évidemment un problème beaucoup plus épineux... De plus, il n'est pas rare, comme nous venons de le constater avec *dark side*, que la traduction des faits de style conduise à d'« heureux accidents de langage », pour reprendre, hors contexte, un mot de Paul Valéry. En voici un autre exemple. Traduire en anglais le poème de Paul Éluard, *Air vif* :

> J'ai regardé devant moi
> Dans la foule je t'ai vue
> Parmi les blés je t'ai vue
> Sous un arbre je t'ai vue[3] [...]

nous amène, tout naturellement, à rendre le segment **je t'ai vue**, qui désigne la femme aimée, sujet et destinataire à la fois du poème, par *I saw you* :

> *Vivid Air*
> *I looked ahead of me*
> *In the crowd I saw you*
> *Among the wheat I saw you*
> *'Neath a tree I saw you. . . .*

L'anglais désigne alors l'être cher par un pronom tonique placé sous l'accent de la rime, tandis que le texte français d'origine se sert d'un pronom qui, en position d'enclitique, se trouve être très affaibli.

3. Paul Éluard, *Air vif*, dans *Œuvres complètes*, éd. établie par Marcelle Dumas et Lucien Scheler, Paris, Gallimard, coll. Bibliothèque de la Pléiade, t. II, 1984 (1968), p. 438.

SOMMAIRE

- Les *faits de style* sont le résultat d'une organisation particulière de la forme d'un énoncé. Ils sont fabriqués pour produire, à la lecture, des effets spéciaux de nature esthétique, ludique et sémantique.
- La traduction des faits de style consiste à trouver, dans le texte d'arrivée, des arrangements formels porteurs d'une information stylistique analogue (c'est-à-dire producteurs des mêmes effets).

APPLICATIONS

L'invention stylistique prend évidemment les formes les plus inattendues, comme en témoignent les exemples précédemment cités. Mais cela ne veut pas dire que le fait de style relève toujours d'une mécanique verbale compliquée. Considérons le montage, génial mais cependant fort simple, de ce poème d'Eli Mandel :

First Political Speech

first, in the first place, to begin with, secondly,
in the second place, lastly

again, also, in the next place, once more, moreover,
furthermore, likewise, besides, similarly, for example,
for instance, another

then, nevertheless, still, however, at the same time,
yet, in spite of that, on the other hand, on the contrary

certainly, surely, doubtless, indeed, perhaps, possibly,
probably, anyway, in all probability, in all likelihood,
at all events, in any case

therefore, consequently, accordingly, thus, as a result,
in consequence of this, as might be expected

the foregoing, the preceding, as previously mentioned

as already stated[4].

L'invention stylistique est audacieuse : le titre nous annonce un discours, et tout ce que nous trouvons après lui, c'est une

4. Eli Mandel, *Crusoe: Poems Selected and New*, Toronto, Anansi, 1973, p. 94. — Une note de l'auteur indique que cette liste de mots-outils est extraite d'un manuel scolaire (*Learning to Write*, par Ernest H. Winter, 2e éd., Toronto, MacMillan, 1961).

liste de mots *qui n'a rien d'un texte*. Liste organisée, cependant :

— organisée typographiquement en strophes, comme le sont la plupart des poèmes traditionnels ;

— organisée sémantiquement à l'intérieur des strophes, où les charnières logiques qui constituent le matériau lexical du poème sont regroupées suivant le sens (strophe 1 : « classement » ; strophe 2 : « addition », « comparaison » ; strophe 3 : « opposition », etc.).

Le fait de style est saisissant : d'un côté, l'énoncé explicite du titre et l'organisation strophique ; de l'autre, le vide discursif, le blablabla de mots simplement énumérés. La signification ironique du poème est évidente : le discours politique est ronflant, fortement structuré, mais il est, avant tout, vide de sens. Quelle verve, malgré les apparences, pour stigmatiser cette bouillie verbale qui dégouline si souvent sur le menton volontaire de plus d'un fier politicien ! Et en même temps, quelle déconcertante simplicité pour dire la dégradation que fait subir à la parole le discours politique !

1. Analyse des faits de style

On sensibilisera aux nuances stylistiques en faisant relever et analyser un grand nombre de faits de style.

Par exemple, ceux — producteurs d'effets humoristiques — des trois textes ci-dessous :

Le début et la fin

Au petit jour naît la petite aube, la microaube
puis c'est le soleil bien à plat sur sa tartine
il finit par s'étaler, on le bat avec le blanc des nuages
et la farine des fumées de la nuit
et le soir meurt, la toute petite crêpe, la crépuscule[5].

5. Raymond Queneau, *Le Chien à la mandoline*, Paris, Gallimard, 1965, p. 37.

(Métaphore filée de la recette de cuisine, sans doute engendrée par le jeu de mots sur *crépuscule* ; divers jeux de mots.)

Orientation professionnelle

« Opticon, que dirais-tu d'un emploi dans un hôpital ?
— Trop de mal.
— Manutentionnaire ?
— Pas emballant !
— Façonnier ?
— Sans façons.
— Alpiniste ?
— Monte là-dessus !
— Prêtre ?
— Ma foi, non.
— Je ne sais plus, moi ! Chômeur ?
— Rien à faire[6] ! »

(Resémantisation par le contexte d'expressions figées.)

J'eusse voulu que tu le visses disposer le blanc de poulet sur la tranche de pain de mie, et ensuite les tomates. Un artiste. Il composait une mosaïque. Ça représentait des fleurs stylisées, la tomate formait les pétales, les cornichons les feuilles, le blanc de poultock le vase[7].

(Rapprochement incongru entre la pratique artistique et une situation des plus terre à terre ; heurt des registres : préciosité des temps verbaux — conditionnel passé et subjonctif imparfait —, et argotisme — **poultock**.)

La phrase suivante (tirée du roman de Vladimir Volkoff, *Le Montage*), dont la métaphore élaborée offre un très bel exemple de soulignement du sens, se prêtera parfaitement à une analyse stylistique :

6. Roland Bacri, *Opticon*, Paris, Julliard, 1964, cité dans *La Nouvelle Poésie comique*, numéro spécial de la revue *Poésie 1*, n° 22, février 1972, p. 22.

7. San-Antonio, *Dégustez, gourmandes*, Paris, Éd. Fleuve noir, 1985, p. 56.

En entendant cette voix si distincte, mais si nettement marquée par la catastrophe qui ne pouvait plus tarder, Pitman pensa à ces bûches consumées de l'intérieur, qui rougeoient encore, conservant leur aspect dans ses moindres détails, leurs fibres, leurs nervures, les verrues et les craquelures de leur écorce, et puis soudain — il suffit de les effleurer avec le tisonnier — s'écroulent sans bruit en cendres incolores[8].

Ou encore, on pourra faire analyser les faits de style du poème de Jacques Prévert, *Le Jardin*, producteurs cette fois d'effets esthétiques (notamment architecturaux), ainsi que sémantiques (de soulignement et d'intensification) :

Le Jardin

Des milliers et des milliers d'années
Ne sauraient suffire
Pour dire
La petite seconde d'éternité
Où tu m'as embrassé
Où je t'ai embrassée
Un matin dans la lumière de l'hiver
Au parc Montsouris à Paris
À Paris
Sur la terre
La terre qui est un astre[9].

Certains faits de style s'imposent à l'attention :

— l'*opposition* **Des milliers et des milliers d'années / La petite seconde**, qui culmine dans l'oxymoron **La petite seconde d'éternité** ;

— le *parallélisme* **tu m'as embrassé // je t'ai embrassée**, dont la réciprocité exprime avec force la plénitude de l'amour ;

8. Vladimir Volkoff, *Le Montage*, Paris / Lausanne, Julliard / L'Âge d'homme, 1982, p. 216.

9. Jacques Prévert, *Paroles*, réimpr., Paris, Gallimard, coll. Folio, 1985 (1949), p. 199.

— l'*agrandissement spatial* vertigineux de la fin du poème **(parc Montsouris... Paris... la terre... un astre)** mouvement symétrique du *rétrécissement temporel* du début **(milliers d'années... petite seconde)** ;

— la place de choix qu'occupe, au centre du poème et au point de contact des deux mouvements antagonistes, le *baiser*, véritable épicentre de l'émotion poétique.

2. Traduction des faits de style

On pourra aussi faire traduire les faits de style préalablement analysés.

Discours politique premier

> premièrement, en premier lieu, pour commencer, deuxièmement, en dernier lieu, finalement,
>
> de nouveau, ensuite, de plus, en outre, une fois encore, qui plus est, de même, pareillement...

(Le titre soulève l'unique problème de traduction : *Premier discours politique* est aussi possible, mais nous semble moins bien convenir.)

> Les films KODAK : ils font toujours bonne impression.
> *Use KODAK film. See what develops.*
>
> ROISSY RAIL. Allez bon train prendre l'avion.
> *ROISSY RAIL. It's a plane train. Get the connection!*

(Ces traductions adaptées conservent l'équivoque des slogans de départ[10].)

3. Traductions commentées

On pourra encore faire commenter avec profit un texte et

10. Extrait de notre article, « Traduire la parole publicitaire », *La Linguistique*, vol. 14, n° 1, 1978, p. 75-87.

l'une ou plusieurs de ses traductions. Prenons pour exemple le passage suivant, tiré du premier chapitre de *Candide*, de Voltaire :

> Elle rencontra Candide en revenant au château, et rougit ; Candide rougit aussi ; elle lui dit bonjour d'une voix entrecoupée, et Candide lui parla sans savoir ce qu'il disait. Le lendemain, après le dîner, comme on sortait de table, Cunégonde et Candide se trouvèrent derrière un paravent ; Cunégonde laissa tomber son mouchoir, Candide le ramassa ; elle lui prit innocemment la main ; le jeune homme baisa innocemment la main de la jeune demoiselle avec une vivacité, une sensibilité, une grâce toute particulière ; leurs bouches se rencontrèrent, leurs yeux s'enflammèrent, leurs genoux tremblèrent, leurs mains s'égarèrent.

Scène tressautante, comme sortie d'un film muet. L'effet est produit surtout par les faits de style suivants :

— l'usage étendu de la *parataxe* ;

— le *refus de cohésion*, visible dans les nombreuses répétitions, en particulier dans celles des prénoms ;

— les nombreuses *symétries*, du genre : Cunégonde fait ceci, Candide fait cela ;

— le hachage de la *ponctuation*.

L'effet humoristique de tressautement (fortement évocateur après la scène épicée entre le Dr Pangloss et la petite chambrière) atteint son paroxysme dans la dernière phrase citée, où l'on retrouve, pour mettre fortement en valeur le contenu érotique, la parataxe et la symétrie, elles-mêmes structuralement renforcées par le volume phonique et la richesse des quatre mots-rimes : **se rencontrèrent**, **s'enflammèrent**, **tremblèrent**, **s'égarèrent**.

Voici trois traductions du passage :

> i) *On her way back she happened to meet the young man; she blushed, he blushed also; she wished him a good morning in a flattering tone, he returned the salute, without knowing what he said. The next day, as they were rising from dinner, Cunegund and Candide slipped behind*

the screen. The miss dropped her handkerchief, the young man picked it up. She innocently took hold of his hand, and he as innocently kissed hers with a warmth, a sensibility, a grace — all very particular; their lips met; their eyes sparkled; their knees trembled; their hands strayed[11].

ii) *On her way home she met Candide, and blushed. Candide blushed too. Her voice was choked with emotion as she greeted him, and Candide spoke to her without knowing what he said. The following day, as they were leaving the dinner table, Cunégonde and Candide happened to meet behind a screen. Cunégonde dropped her handkerchief, and Candide picked it up. She quite innocently took his hand, he as innocently kissed hers with singular grace and ardour. Their lips met, their eyes flashed, their knees trembled, and their hands would not keep still*[12].

iii) *On her way back to the castle she met Candide and blushed; Candide also blushed. She bade him good-morning in a hesitating voice; Candide replied without knowing what he was saying. Next day, when they left the table after dinner, Cunegonde and Candide found themselves behind a screen; Cunegonde dropped her handkerchief, Candide picked it up; she innocently held his hand; the young man innocently kissed the young lady's hand with remarkable vivacity, tenderness and grace; their lips met, their eyes sparkled, their knees trembled, their hands wandered*[13].

Voici une quatrième traduction du passage, faite par une étudiante, Anita Dignan, après le commentaire en classe des trois précédentes :

iv) *Returning to the castle, she met Candide, and blushed; Candide blushed also; she bade him good day in a broken voice, and Candide replied, unmindful of his words. The following day, after dinner, as they were leaving the table, Cunégonde and Candide found themselves behind a partition; Cunégonde dropped her handkerchief, Candide picked it up; innocently, she took his hand; innocently, the young man kissed the*

11. *The Writings of Voltaire*, New York, Wm. H. Wise, 1931. (Nom du traducteur non mentionné.)

12. Voltaire, *Candide*, traduit du français par John Butt, Baltimore (Maryland), Penguin Books, 1947.

13. *Id.*, introduction de Philip Littel, New York, Random House, The Modern Library, 1951. (Nom du traducteur non mentionné.)

maiden's hand with an especial eagerness, tenderness and grace; their lips united, their eyes ignited, their knees swayed, their hands strayed.

En conclusion : *toujours bien analyser les faits de style*, quitte à devoir, de temps à autre, déclarer forfait devant leur impossible (?) traduction. La « quadrature du style » existe, elle aussi. Quel traducteur pourrait-il se vanter de ne l'avoir jamais rencontrée sur son chemin ? Mais ne pas rendre les armes trop vite. Car, même devant un texte aussi déroutant que celui-ci :

Merdrigal

En dédicrasse

Dans mon cœur en ta présence
Fleurissent des harengs saurs.
Ma santé, c'est ton absence,
Et quand tu parais, je sors[14].

la capitulation n'est pas inévitable. Voici, en effet, ce qu'a su en tirer une autre étudiante, Janice Huber :

Miredrigal

Deditainted

My heart when in your presence
Bursts forth with lemons tart.
My health is by your absence,
And when you appear, I part.

14. Léon-Paul Fargue, *Poésies*, Paris, Gallimard, 1967, p. 51.

SUGGESTIONS DE LECTURES

En plus des références données en notes, de très nombreux travaux de stylistique seraient à citer dans ce chapitre — ceux de Genette, Jakobson, Leech, Léon, Molino, Mounin, Riffaterre, Todorov, et de bien d'autres auteurs. Nous nous en tiendrons à quelques-uns traitant du style dans l'optique de la traduction :

• *Colloque sur la traduction poétique*, Paris, Gallimard, 1978. (Colloque organisé par le Centre Afrique-Asie-Europe de l'Institut de littérature générale et comparée, Université de Paris-III [Sorbonne nouvelle], 8-10 décembre 1972.)

• Jacques Flamand, *Écrire et traduire : sur la voie de la création*, Ottawa, Éd. du Vermillon, 1983. (Notamment le chapitre III : « De la traduction littéraire », p. 115-126.)

• Anne Hébert et Frank Scott, *Dialogue sur la traduction : à propos du* **Tombeau des Rois**, Montréal, Éd. HMH, coll. Sur parole, 1970.

• Georges Mounin, *Les Belles Infidèles*, Paris, Cahiers du Sud, 1955.

• *Id.*, *Linguistique et Traduction*, Bruxelles, Dessart et Mardaga, 1976. (En particulier la troisième partie : « La traduction littéraire ».)

• Eugene A. Nida, « Traducción y estilo », *Teoría y práctica de la traducción (Primer encuentro internacional de traductores)*, Santiago, Editiones Universidad Católica de Chile, 1981, p. 25-31.

• Octavio Paz, « Traduction : littérature et littéralité », traduit de l'espagnol par Claude Esteban, *Nouvelle Revue française*, n° 224, 1971, p. 26-37.

• Claude Tatilon, « Le traducteur face au problème de la quadrature du style », *Hommage à Georges Mounin*, numéro spécial de la revue *Cahiers de linguistique, d'orientalisme et de slavistique* (Aix-en-Provence), n°s 5-6, janv.-juill. 1975, p. 405-414.

QUATRIÈME PARTIE

CONSIDÉRATIONS MÉTHODOLOGIQUES

Tout au long des chapitres précédents s'est imposée l'idée que la traduction est un acte de communication, *que traduire, c'est opérer — d'un texte de départ à un texte d'arrivée — une sorte de transvasement de l'information au profit d'un nouveau public, qui ne peut y avoir accès directement. Le processus peut se schématiser ainsi, en style « BD » :*

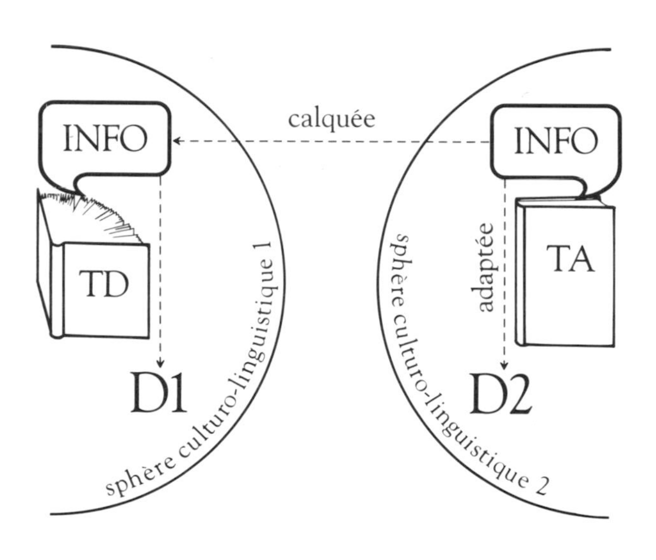

Entre les deux sphères, le traducteur, véritable go-between, *comme dit opportunément l'anglais. Passeur d'idées d'une langue à l'autre, d'un monde à l'autre, il a pour mission de révéler une information inaccessible. Tâche délicate, à l'épreuve d'une double exigence : suivre un texte à la trace, obéir docilement aux idées d'un autre, pour transmettre ensuite ces idées — dans la forme la plus intelligible mais avec un minimum d'altération — à des lecteurs qui les entendent. Le traducteur, donc, au service de son public.*

Les deux derniers chapitres de l'ouvrage, conçus dans une perspective méthodologique, se proposent de montrer de quelle manière cette notion essentielle d'acte de communication peut guider le traducteur dans sa pratique.

Le chapitre VIII, intitulé « La pertinence communicative et le principe d'équivalence informationnelle », fait le point sur l'analyse et le filtrage de l'information ; le chapitre IX, qui examine « Le mécanisme de l'acte de traduction », décrit en ordre séquentiel les différentes phases de l'opération traduisante.

CHAPITRE VIII

LA PERTINENCE COMMUNICATIVE ET LE PRINCIPE D'ÉQUIVALENCE INFORMATIONNELLE

La traduction est une communication[1] d'un type particulier, où l'information transite à sens unique par l'intermédiaire d'un traducteur. Celui-ci, au service à la fois de l'auteur du texte de départ (qu'il ne doit pas trahir) et du destinataire de son texte d'arrivée (qu'il ne doit pas tromper), n'est évidemment pas responsable de l'information en jeu, mais seulement de son transfert. Ce rôle d'intermédiaire conduit d'abord le traducteur à examiner soigneusement l'information du texte de départ. Pour l'aider dans son examen, il y a la

1. Voir à ce propos l'article d'Eugene Nida, déjà mentionné au chapitre premier, « Translating Means Communicating: A Sociolinguistic Theory of Translation », *Linguistics and Anthropology* (sous la direction de Muriel Seville-Troike, Georgetown [Washington], Georgetown University Press, 1977), p. 213-229.

pertinence. Bien comprise, cette notion empruntée à la linguistique[2] devrait pouvoir l'amener à prendre des décisions réfléchies qui soient de nature à conforter son empirisme de praticien.

La *pertinence* n'a rien d'un concept mystérieux. Elle n'est rien d'autre, en effet, que *le point de vue, l'angle d'observation — déterminé et immuable — initialement adopté par tout analyste soucieux d'assurer à son travail, quelle qu'en soit la nature, une rigoureuse cohérence*.

« Soit, par exemple, écrit André Martinet, tout un lot de clefs dissemblables par le choix de leur substance ou la facture de leur anneau. Un classement fonctionnel aboutira à ranger ensemble ou à accrocher à un même clou, toutes celles qui ouvrent une même porte, qu'elles soient de fer ou de cuivre, d'anneau simple ou orné. Ceci parce qu'on estime que les clefs sont faites pour fermer et ouvrir les portes. [Pertinence qu'on pourrait dire *utilitaire*.] Rien n'empêcherait toutefois d'adopter une autre pertinence, une pertinence esthétique par exemple, si, les serrures correspondantes ayant disparu, la fonction la plus probable des clefs en question était d'ornement. Tout ceci vaudra pour un comportement humain, tel le comportement linguistique : la pertinence qui, dans ce cas,

2. « Le principe de pertinence, explique André Martinet, emprunté par les premiers phonologues à Karl Bühler, se fonde sur l'observation que la réalité physique de la parole comporte, à chaque point, des éléments d'information de nature différente que l'auditeur qui connaît la langue employée est dressé à trier inconsciemment et à interpréter correctement. Seuls pertinents pour l'étude phonologique sont les traits de la parole correspondant aux choix faits par le locuteur pour conférer leur identité formelle aux unités significatives de base, les monèmes. Le principe de pertinence peut s'interpréter comme un cas particulier de celui, de portée générale, selon lequel un traitement scientifique ne saurait retenir qu'un aspect bien déterminé de l'objet étudié. Mais si, dans les sciences de la nature, ce sont les traits de l'objet lui-même qui semblent imposer au chercheur le choix de certains points de vue, la question se pose autrement dans les sciences humaines où l'objet examiné est le comportement de l'homme. Dans ce cas, il convient d'examiner l'objet non plus dans sa réalité immédiatement perceptible, mais comme la manifestation de certaines intentions du sujet. » (« La notion de fonction en linguistique », dans *Studies in Functional Syntax / Études de syntaxe fonctionnelle*, Munich, Wilhelm Fink Verlag, 1975, p. 96.)

s'impose tout d'abord, est la *pertinence communicative*[3] et c'est elle que les linguistes retiennent. Mais on peut fort bien imaginer un autre type de pertinence, une pertinence esthétique, par exemple, valable pour les chanteurs d'opéra dont il importe peu qu'on comprenne ce qu'ils chantent[4]. »

L'utilité que le traducteur peut retirer de cette notion nous semble double : elle peut lui servir aussi bien à des fins heuristiques, pour *déterminer l'information pertinente* d'un texte de départ (celle qui devra impérativement se retrouver dans la traduction), qu'à des fins didactiques, pour *remodeler cette information pertinente* en fonction de son destinataire (la lui présenter sous une forme qui facilitera le plus possible sa compréhension).

Examinons ces deux points importants.

1. Détermination de l'information pertinente

L'examen initial auquel le traducteur doit soumettre le texte à traduire lui permettra de distinguer clairement, au milieu de la masse informative du texte, la pertinence à suivre : les fonctions que le texte cherche à exercer, les effets qu'il cherche à produire sur ses lecteurs. Une fois bien dégagé ce point de vue, bien établie cette pertinence, il lui sera facile d'écarter toute information superflue. « Il est clair, fait encore remarquer avec réalisme André Martinet, que, du point de vue du scieur de long, la couleur ou la forme des feuilles [d'un arbre] ne sont pas pertinentes, non plus que, du point de vue du peintre, le pouvoir calorifique du bois[5]. » La *pertinence communicative*, qui est la sienne autant que celle du linguiste, doit permettre au traducteur de réussir le filtrage de l'information, opération qui se trouve, consciemment ou inconsciemment, à l'origine de toute tentative de traduction, et

3. C'est nous qui soulignons.

4. André Martinet, « Fonction et structure en linguistique », dans *Studies in Functional Syntax...*, *op. cit.*, p. 36.

5. André Martinet, *Éléments de linguistique générale*, 2e éd., Paris, A. Colin, 1967, section 2-5.

d'obtenir, au terme de cette opération, l'information décantée qui mérite, et exige, d'être transférée au texte d'arrivée.

Prenons pour exemple le texte ci-dessous. Il s'agit d'un bulletin météorologique de « situation générale » émis par une station centrale canadienne et destiné, non pas au grand public, mais à d'autres stations locales, qui seront chargées de sa diffusion.

MARITIME WEATHER OFFICE
APRIL 9 1974
5:00 A.M.

A storm centered at forecast time over Virginia will move slowly northeastward during the next two days. Precipitation should begin over extreme southwestern Nova Scotia before noon and spread northeastward later in the day and overnight.

Snow should fall at most localities for a few hours at least before changing to rain. Over northern New Brunswick however indications are that this change will not occur and that a sizeable snowfall could result tonight and on Wednesday. It is however too early to make a reasonable estimate of these amounts.

For the remainder of the Maritimes rain will be heavy at times and continue Wednesday.

La pertinence communicative nous permet ici de privilégier, sans erreur possible, l'information technique du bulletin, et nous impose la plus grande exactitude dans sa traduction. Ainsi, seront pertinentes au premier chef toutes les données référentielles liées aux phénomènes atmosphériques mentionnés (*storm*, *precipitation*, *snow*, *rain*), à leur localisation dans le temps (*at forecast time*, *during the next two days*, *before noon*...), à leur localisation dans l'espace (*centered over Virginia*, *northeastward*, *over extreme southwestern Nova Scotia*...) et liées à leur évolution (*will move slowly*, *spread*, *changing to rain*). Dans le même ordre d'idée, l'alternance *will / should* n'est pas à prendre pour une variation élégante visant à la diversité de l'expression, mais bien pour une nuance sémantique essentielle exprimant l'opposition « certitude » / « probabilité », et indiquant par là le souci d'exactitude du texte.

Pertinente aussi, mais secondairement, l'information *stylistique*, qui est au service de l'information référentielle dont elle facilite la transmission. Non que le bulletin soit un modèle d'écriture (*stylistique* est à prendre ici au sens des *conventions stylistiques* du chapitre VI). Mais il y a dans sa rédaction une économie, une sobriété qui font que son écriture « blanche[6] » se trouve parfaitement adaptée à sa pertinence communicative, qu'elle contribue à bien mettre en évidence. Ainsi, sera pertinent stylistiquement tout fait de style qui, exempt de préoccupation esthétique, rendra plus aisée la compréhension des messages référentiels et marquera l'appartenance du texte d'arrivée au genre « bulletin météorologique ». S'imposera donc un ton neutre, objectif, débarrassé de toute émotivité. Et seront donc à écarter les formules fortes — **une tempête qui fait rage sur..., des chutes de neige devraient s'abattre sur...** —, ainsi que les tours recherchés — **tout porte à croire que..., il est toutefois prématuré..., et ce, jusqu'à mercredi**. La prose qui convient ici n'est point celle des *Hauts de Hurlevent* ni celle d'*Ouragan sur le Caine*. On optera finalement pour une formulation dépouillée, comparable à celle du modèle anglais :

Une tempête, localisée sur la Virginie au moment du présent bulletin, doit se déplacer lentement en direction du nord-est durant les deux prochains jours. Des précipitations sont attendues avant midi sur l'extrémité sud-ouest de la Nouvelle-Écosse ; elles devraient s'étendre en direction du nord-est plus tard dans la journée et au cours de la nuit. [...]

6. Un texte est toujours stylistiquement marqué. Il ne peut exister d'écriture que chargée d'information stylistique. La « neutralité » aussi est une information (de même que la « maladresse » — celle, par exemple, voulue d'un bon romancier distillant, dans les propos d'un personnage, un « effet de réel »).

Pour le reste des provinces Maritimes, la pluie sera forte par intervalles et persistera mercredi.

2. Remodelage de l'information pertinente

Il y a des cas où l'information pertinente sélectionnée ne peut pas être transmise telle quelle, soit parce qu'elle ne serait pas comprise ou risquerait de l'être mal, soit parce qu'elle apparaîtrait comme illogique au destinataire. Soucieux de la lisibilité de son texte, le traducteur n'aura aucune hésitation, en pareil cas, à faire subir au contenu certaines modifications. Danica Seleskovitch fait judicieusement remarquer que « La proportion d'explicite et d'implicite varie constamment dans la communication en fonction du savoir partagé par les interlocuteurs ; on voit les traductions en tenir compte, rendant explicite un implicite dont l'absence empêcherait la constitution du sens [gênerait la compréhension], supprimant aussi bien un explicite qui serait redondant. Aucun interprète n'a jamais traduit pour un Français le " Paris, France " américain autrement que par " Paris ", et on est choqué lorsque la traduction ne reflète pas les mécanismes du langage, comme celle-ci : " C'est à Paris que siégeaient les principaux organes du gouvernement, le Parlement et la Chambre des Comptes *qui correspondait approximativement à l'Échiquier anglais* " ; en exprimant ce qui aurait dû devenir implicite [aurait dû être supprimé], la traduction fournit un renseignement déroutant pour le lecteur français[7]. »

Marianne Lederer, pour qui traduire, « c'est formuler l'idée en conformité avec une logique d'expression », trouve étrange à juste titre que, dans une traduction, le chancelier Schmidt puisse affirmer « avoir " déclaré textuellement " ce

7. Danica Seleskovitch, « Pour une théorie de la traduction inspirée de sa pratique », *Meta*, vol. 26, nº 3, sept. 1981, p. 407.

qu'il communique au *Monde* en français, alors que par définition il s'est exprimé en allemand[8]. »

Danica Seleskovitch raconte aussi cette anecdote : « Je me souviens avoir un jour interprété pour le général de Gaulle lors de la visite officielle d'un premier ministre yougoslave. Les tous premiers mots que le ministre prononça quand il fut en présence de De Gaulle furent " *Vi ste vrlo sveži* ". *Svež* en serbe signifie **frais**. Le terme s'applique à la fois aux produits alimentaires et aux êtres humains. *Sveža riba* ou *sveže meso* sont du **poisson frais** ou de la viande fraîche, mais cela se dit aussi des humains qui ont bonne mine. Par ailleurs, en Yougoslavie on commence souvent une conversation en faisant compliment à son interlocuteur de sa bonne mine, de sa bonne santé. Bien entendu, lorsqu'on interprète, on n'a pas le temps de penser à tout cela : mais je savais parfaitement qu'il m'était impossible de dire au Général qu'il avait **l'air frais**, voire qu'il avait **bonne mine**. Je me suis entendue dire : " Vous faites jeune, mon Général. " Malgré leur maladresse, mes paroles exprimaient le sens d'un compliment fait en toute sincérité ; c'est ainsi que le compliment fut pris, il fit plaisir au Général, malgré le geste de lassitude par lequel il rappela son âge[9]. »

Représentons par un schéma simple le rôle déterminant joué par le destinataire dans l'opération de filtrage de l'information :

8. Marianne Lederer, « Implicite et explicite », dans Danica Seleskovitch et Marianne Lederer, *Interpréter pour traduire*, Paris, Publications de la Sorbonne / Didier Érudition, coll. Traductologie 1, 1984, p. 66-67. — Sur cet aspect pragmatique de la communication linguistique, on lira avec profit l'excellente mise au point de Claude Germain, *La Notion de situation en linguistique* (Ottawa, Éd. de l'Université d'Ottawa, 1973).

9. Danica Seleskovitch, « Interpréter un discours n'est pas traduire une langue », dans *Interpréter pour traduire*, *op. cit.*, p. 113.

Filtrage de l'information d'un texte de départ

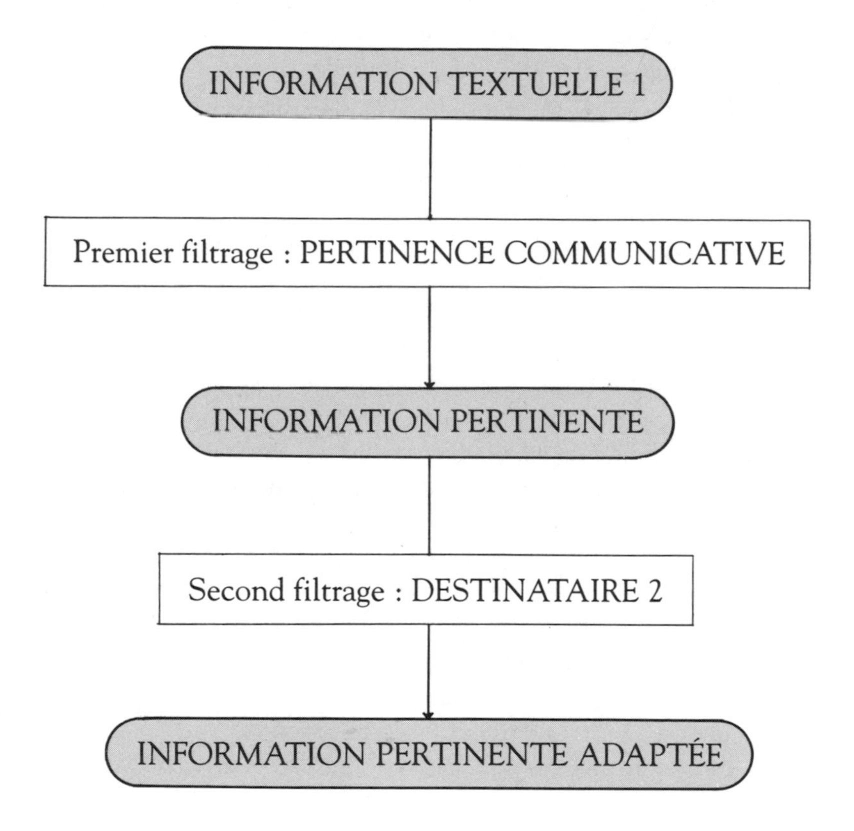

Ce schéma appelle, bien sûr, quelques commentaires :

a) L'information fournie par un texte est toujours complexe et diverse. Pour son analyse, nous renvoyons à notre chapitre premier.

b) Le DESTINATAIRE représente ici le remodelage de l'information pertinente, qui est un second filtrage occasionnel. Le fait que le destinataire n'apparaisse pas dans le schéma au niveau du premier filtrage, celui de la PERTINENCE, ne signifie nullement qu'il en soit exclu. C'est, en effet, tout au long de son travail que le traducteur doit garder à l'esprit la destination de son texte d'arrivée. Son souci permanent : trouver la façon la plus adéquate de transmettre le message du texte de départ.

Il faut enfin préciser que le traducteur dispose d'une seule procédure de vérification : les réactions de ses lecteurs. Procédure tardive mais toujours instructive. En cours de travail, il devra donc s'en remettre entièrement à son expérience et à son intuition, partageant en cela le sort commun du rédacteur et de l'écrivain.

Laissons à Marianne Lederer le soin de conclure brièvement : « Pour traduire, comprendre soi-même ne suffit pas, il faut *faire comprendre*[10]. » En traduction aussi, la fin — qui est la pertinence communicative — justifie les moyens.

10. Marianne Lederer, « Transcoder ou réexprimer ? », dans *Interpréter pour traduire*, *op. cit.*, p. 31.

SOMMAIRE

La PERTINENCE est l'angle d'observation *particulier* que l'on doit obligatoirement choisir toutes les fois que l'on désire se livrer, avec quelque rigueur, à l'examen d'un objet. C'est cet angle d'observation — à condition qu'il demeure *invariable* tout au long de l'examen — qui permet une analyse *cohérente* de l'objet observé.

Appliquée à la lecture exploratoire d'un texte de départ, la notion de *pertinence communicative* donne au traducteur le moyen de filtrer efficacement le contenu à traduire, soit :

- de *déterminer l'information pertinente* du texte, qui est celle qui devra obligatoirement se retrouver dans le texte d'arrivée ;
- et, si besoin est, de *remodeler cette information pertinente*, afin de la rendre plus facilement assimilable par le destinataire.

APPLICATIONS

Le type d'exercice proposé ici consiste en une lecture exploratoire d'un texte à traduire, étape initiale importante que les traducteurs débutants ont trop souvent tendance à négliger sous le fallacieux prétexte de « gagner du temps ». Le but d'un tel exercice est d'*objectiver* cet examen initial et d'en montrer la grande utilité.

L'examen sera facilité si l'on soumet préalablement le texte à un questionnement pragmatique général (qui a été décrit au chapitre premier et au chapitre VI) : à quel type appartient-il (domaine, genre, finalité) ? Que sait-on de son auteur ? À quel public est-il destiné ?

Empruntons à la première page du prologue d'un livre sur les grands lacs nord-américains un passage comme exemple. *The Great Lakes*, de Robert Thomas Allen, est un ouvrage documentaire de type monographique destiné au grand public. Très général, il embrasse divers aspects de la vie dans cette partie du monde, depuis la géographie physique et la climatologie jusqu'à la faune et la flore, et se termine sur d'inquiétantes perspectives écologiques.

Biting deep into the midriff of North America, dividing Canada from the United States, the Great Lakes lie like inland seas halfway across the continent, from the St. Lawrence to within eighty miles of the Mississipi, through forest, farmland and prairie, from the Alleghenies to the rocky hills of the Canadian Shield. They lace together some of the world's biggest cities throughout eight states, and a 2,362-mile coastline of Ontario. They dominate the agriculture, settlement, and pattern of life of a region bigger than France. Their old beaches, bottoms, deltas and sandbars are major features of the land. The lakes are a controlling factor in wild life. Animals adapting to their meadows, dunes and ancient lake plains have evolved into separate subspecies.

The Great Lakes are by far the largest body of fresh water on earth. They cover an area bigger than New Brunswick, Nova Scotia, Prince Edward Island and Newfoundland combined. People in other parts of

North America, where a lake is something you can row across with a picnic lunch, can hardly picture them. Although every schoolchild knows what they look like on a map, nobody ever sees them this way. They're much too big[11].

Nous avons ici affaire à un texte de vulgarisation, dont les nombreuses données techniques rappellent celles du bulletin météorologique étudié précédemment et exigeront du traducteur la même précision rigoureuse. Mais le ton n'est plus du tout le même : l'écriture est maintenant voyante, tapageuse, se faisant remarquer par une abondance d'images hyperboliques, d'énumérations emphatiques et par l'enflure des superlatifs : *like inland seas, halfway across the continent, through forest, farmland and prairie, some of the world's biggest cities, they dominate, are major features, a controlling factor, by far the largest body of fresh water on earth*... Les premiers mots avaient donné le ton du texte — *Biting deep into* —, les derniers —*They're much too big* — l'achèvent en point d'orgue. La pertinence stylistique en est profondément affectée ; elle réclame un traitement particulier. Cela pourrait donner :

Enfoncés en plein cœur de l'Amérique du Nord, séparant le Canada des États-Unis, les Grands Lacs, semblables à des mers intérieures, s'étendent sur la moitié du continent : depuis le Saint-Laurent jusqu'à moins de quatre-vingt milles du Mississipi, à travers forêts, cultures et prairies, des Alleghanys aux collines du Bouclier canadien. Ils relient quelques-unes des plus grandes villes du monde, réparties sur huit états et sur 2 362 milles de littoral ontarien. Ils règlent en outre l'agriculture, l'habitat et le mode de vie d'une région plus étendue que la France. Leurs anciens contours — plages, lits, deltas et ensablements — constituent les traits dominants de la topographie. Ils ont aussi une influence déterminante sur la faune : de l'adaptation à leurs prairies, à leurs dunes et à leurs anciennes plaines alluviales sont nées de nouvelles sous-espèces animales.

11. Robert Thomas Allen, *The Great Lakes*, Toronto, Natural Science of Canada, 1970, p. 8.

Les Grands Lacs sont, et de loin, la plus grande étendue d'eau douce du monde. Ils couvrent une superficie plus vaste que le Nouveau-Brunswick, la Nouvelle-Écosse, l'Île-du-Prince-Édouard et Terre-Neuve réunis. Les gens qui demeurent dans d'autres régions de l'Amérique du Nord, et pour lesquels un lac est une chose qu'on traverse à la rame en emportant sa boîte à lunch, ont bien du mal à se les représenter. Et bien que tous les écoliers soient capables de les reconnaître sur une carte, on n'arrive jamais à se les représenter tels qu'ils sont. Ils sont bien trop vastes.

Second exemple, cette page, extraite d'une nouvelle de Ray Bradbury, *The Pedestrian* :

He turned back on a side street, circling around towards his home. He was within a block of his destination when the lone car turned a corner quite suddenly and flashed a fierce cone of light upon him. He stood entranced, not unlike a night moth, stunned by the illumination, and then drawn towards it.

A metallic voice called to him:

"Stand still. Stay where you are! Don't move!"

He halted.

"Put up your hands!"

"But —— " he said.

"Your hands up! Or we'll shoot!"

The police, of course, but what a rare incredible thing; in a city of three million, there was only one police car left, wasn't that correct? Ever since a year ago, 2051, the election year, the force had been cut down from three cars to one. Crime was ebbing; there was no need now for the police, save for this lone car wandering and wandering the empty streets.

"Your name?" said the police car in a metallic whisper. He couldn't see the men in it for the bright light in his eyes.

"Leonard Mead," he said.

"Speak up!"

"Leonard Mead!"

"Business or profession?"

"I guess you'd call me a writer."

"No profession," said the police car, as if talking to itself. The light held him fixed, like a museum specimen, needle thrust through chest.

"You might say that," said Mr. Mead. He hadn't written in years. Magazines and books didn't sell any more. Everything went on in the tomblike houses at night now, he thought, continuing his fancy. The tombs, ill-lit by television light, where the people sat like the dead, the grey or multicoloured lights touching their faces, but never really touching them[12].

La pertinence communicative est encore évidente dans ce texte (ne pas « trahir » l'auteur, ne modifier en rien son récit). La pertinence stylistique prend une dimension nouvelle : avec Ray Bradbury, célébrité littéraire, nous nous trouvons cette fois dans la catégorie du *style 2*, celle de l'art verbal, où la forme est « hypostasiée » comme dit parfois la critique moderne. Relevons quelques-unes des inventions stylistiques que contient le passage :

— la *vigueur descriptive* du premier paragraphe qui présente une subtile variation sur le thème du *mouvement* avec, d'abord, la flânerie de Mead *(circling around towards his home)*, brutalement interrompue par l'apparition intempestive de la voiture de police *(the lone car turned a corner quite suddenly)*, qui provoque la paralysie momentanée du personnage *(He stood entranced)*, puis son déplacement hypnotique *(and then drawn towards it)* ;

— la *variété discursive* de la page entière, qui entremêle habilement dialogue et narration (et, à l'intérieur de celle-ci, commentaires de l'auteur-narrateur et réflexions du personnage) ;

— la *compacité phonétique* de certains énoncés (*FLASHed a FIERCE WHITE cone of LIGHT, STand STill STay*, et surtout *needle THRuST THRough CHeST* dont la dureté articulatoire, telle une

12. Ray Bradbury, *The Pedestrian*, dans *The Golden Apples of the Sun*, Londres, Rupert Hart-Davis, 1953, p. 20, 21.

musique d'accompagnement, s'harmonise à la sauvagerie de l'image[13]) ;

— la *personnification* de la voiture de police, dont l'effet d'ambiguïté est cultivé tout au long de la page (*the lone car turned a corner* [...] *and flashed* [...] *a cone of light upon him* ; *A metallic voice called to him* ; *this lone car wandering and wandering the empty streets* ; *said the police car in a metallic whisper* ; *said the police car, as if talking to itself*) jusqu'à la limite du fantastique (*He couldn't see the men in it*) ;

— la *vision apocalyptique* du dernier paragraphe.

Ces inventions d'écriture sont ici pertinentes, et doivent donc être traduites. Dans toute la mesure du possible :

Il fit demi-tour dans une petite rue transversale et prit un chemin détourné pour rentrer chez lui. Il était à deux pas de son domicile, quand soudain, au détour d'une rue, la voiture solitaire fit irruption, braquant sur lui un violent faisceau de lumière crue. Il en resta interdit, tout comme un papillon de nuit, d'abord étourdi puis attiré par la vive clarté.

Une voix métallique l'interpella :

« N'avancez plus. Restez où vous êtes ! Pas un geste ! »

Il s'immobilisa.

« Les mains en l'air !

— Mais..., fit-il.

— Haut les mains ou nous tirons ! »

La police, bien sûr. Mais quelle extraordinaire coïncidence, dans une ville de trois millions d'habitants, où, s'il comptait bien, il ne devait plus rester qu'une seule voiture de police. N'avait-on pas, l'année dernière, en 2051, l'année des élections, supprimé deux des trois voitures ? La criminalité était sur le déclin ; la police était maintenant devenue inutile, à l'exception de cette voiture solitaire qui sillonnait inlassablement les rues désertes.

13. Voir notre ouvrage, *Sonorités et Texte poétique* (Montréal / Paris / Bruxelles, Marcel Didier Canada, coll. Studia Phonetica, 1976).

« Votre nom ? », chuchota la voiture de sa voix métallique. La lumière aveuglante l'empêchait de voir les hommes à l'intérieur.

« Léonard Mead, dit-il.

— Plus fort !

— Léonard Mead !

— Profession ?

— Hé bien, disons... écrivain.

— Sans profession », déclara la voiture comme se parlant à elle-même. La lumière le clouait sur place, tel un spécimen zoologique, une aiguille au travers du thorax.

« Si vous voulez », répondit M. Mead. Ça faisait des années qu'il n'avait rien écrit. Livres et magazines ne se vendaient plus. Maintenant, tout se passait le soir, dans des maisons-tombeaux, pensa-t-il, poursuivant sa rêverie. Des tombeaux, mal éclairés par des téléviseurs blâfards, où les gens, assis, étaient comme des cadavres : les reflets, gris ou multicolores, atteignaient bien leur visage, mais ne parvenaient jamais vraiment à les atteindre eux-mêmes.

SUGGESTIONS DE LECTURES

- André Martinet, *Éléments de linguistique générale*, 2e éd., Paris, A. Colin, 1967.

- *Id.*, *Studies in Functional Syntax / Études de syntaxe fonctionnelle*, Munich, Wilhelm Fink Verlag, 1975.

- Claude Germain, *La Notion de situation en linguistique*, Ottawa, Éd. de l'Université d'Ottawa, 1973 (traduit en anglais par B. J. Wallace sous le titre : *The Concept of Situation in Linguistics*, *ibid.*, 1979).

CHAPITRE IX

LE MÉCANISME DE L'ACTE DE TRADUCTION

Difficulté de traduire : il faut d'abord bien savoir le latin ; ensuite, il faut l'oublier.

Cette réflexion de Montesquieu, hâtivement notée dans ses *Cahiers*, a l'avantage d'attirer l'attention sur un danger toujours menaçant : celui de se laisser obnubiler par les structures linguistiques du texte de départ, alors que c'est l'information — répétons-le encore une fois — qu'il convient de traduire dans ses différentes pertinences, et non les structures qui l'expriment.

Mais cette réflexion lapidaire a aussi l'inconvénient de laisser entendre que l'acte de traduction ne comporterait que deux étapes, celle du déchiffrement du texte de départ et celle de l'élaboration du texte d'arrivée. C'est là une vision incomplète du mécanisme, qui pourrait égarer le traducteur. Alors qu'au contraire, clairement perçu, ce mécanisme — à l'instar de tous les autres aspects théoriques de l'acte de traduction — peut l'aider à travailler avec plus de lucidité, donc à mieux traduire. De Jacques Flamand, cette opinion concordante : « La traduction devient traductologie quand le traducteur réfléchit sur sa pratique, en fait — ou tente d'en faire — le discours. Et la traductologie est nécessaire pour bien comprendre l'opération traduisante, et mieux traduire. Comme dans toute œuvre humaine, il s'établit un rapport dialectique entre pratique et théorie. Tout traducteur doit être un peu traductologue, s'il veut garder suffisamment de distance par rapport à son texte. Il apprend à réfléchir, à analyser[1]. »

Considérons maintenant trois descriptions « complètes » du mécanisme, celles de Jean Delisle, Jacques Flamand (que nous venons de citer) et Nestor Schumacher.

À première vue, on pourrait croire que les démontages proposés par ces trois auteurs sont très différents, donc arbitraires :

- Delisle distingue trois étapes — COMPRÉHENSION, REFORMULATION, VÉRIFICATION[2] ;
- Flamand en distingue quatre — ASSIMILATION, CONVERSION, RÉDACTION, CONTRÔLE[3] ;
- Schumacher en distingue trois — ASSIMILATION, CONFRONTATION, RESTITUTION[4].

Ce dernier écrit, d'ailleurs : « Nous avons, pour les besoins de l'analyse, distingué nettement trois phases dans le processus de traduction et décrit un certain nombre d'opéra-

1. Jacques Flamand, *Écrire et traduire : sur la voie de la création*, Ottawa, Éd. du Vermillon, 1983, p. 40-41.

2. Jean Delisle, « Démontage du processus de traduction », dans *L'Analyse du discours comme méthode de traduction*, Ottawa, Éd. de l'Université d'Ottawa, coll. Cahiers de traductologie, n° 2, 1980, p. 69-86.

3. Jacques Flamand, « L'acte de traduction » et « Aperçu de l'opération mentale de traduction », dans *Écrire et traduire…*, *op. cit.*, respectivement p. 29-31 et p. 35-41.

4. Nestor Schumacher, « Analyse du processus de la traduction : conséquences méthodologiques », *Meta*, vol. 18, n° 3, septembre 1973, p. 308.

tions. Il est clair que dans la pratique ces différentes phases se confondent partiellement, allant même jusqu'à donner l'impression d'une opération instantanée dans la traduction à vue. » Pour ajouter aussitôt, il est vrai : « Elles n'en existent pas moins[5]. »

Or, si l'on compare avec soin les trois présentations ainsi que les opérations mentales qu'elles essaient de décrire, l'on a tôt fait d'apercevoir, sous les nombreuses différences délimitatives, explicatives et terminologiques, un accord profond des trois auteurs sur le déroulement du processus, qui s'articule pour chacun d'eux en trois étapes principales :

- une étape initiale de *déchiffrement du texte de départ* ;
- une étape intermédiaire de *production du texte d'arrivée* ;
- une étape finale de *contrôle du texte d'arrivée*.

Quant aux diverses opérations qui jalonnent ces étapes, elles peuvent se schématiser par le tableau suivant (en nos propres termes) :

1. Déchiffrement du texte de départ

☐ son identification pragmatique (type du texte, destinataire)

☐ sa compréhension profonde (extraction de l'information pertinente)

2. Production du texte d'arrivée

☐ reformulation en langue d'arrivée de toute l'information pertinente

3. Contrôle du texte d'arrivée

☐ confrontation entre texte de départ et texte d'arrivée (contrôle du transfert de l'information)

☐ relecture du texte d'arrivée (contrôle de l'expression)

5. Nestor Schumacher, *art. cit.*, p. 313.

Il convient maintenant que nous fassions un certain nombre de remarques.

D'abord, une très générale : nous sommes convaincu que la connaissance du mécanisme de la traduction a, pour l'élève-traducteur, un intérêt pratique indéniable, celui de lui suggérer une méthode et de bonnes habitudes de travail.

Deuxième remarque : le *déchiffrement d'un texte de départ* est une étape qu'il faut s'appliquer à respecter, car elle conditionne les suivantes. (Voir le chapitre précédent, qui est entièrement consacré à cette étape.)

Troisième remarque : Flamand dit de l'étape de *production du texte d'arrivée* qu'elle est « la plus " professionnelle " de l'acte, la plus stimulante aussi » et qu'elle constitue une « conversion comparable dans ses fins à celle d'un code, d'une monnaie ou d'un système de poids et mesures en un autre : permettre à l'usager de la conversion une utilisation équivalente à celle de l'usager du premier système[6]. » Delisle parle en ces termes : « Cette démarche de l'esprit est sans doute celle qui est encore la plus mal connue, la plus mystérieuse et la plus complexe à analyser. [...] Chose certaine, la recherche d'une équivalence n'a rien d'un simple acte de mémoire qui consisterait à retrouver dans un répertoire — en l'occurrence, le lexique français — les mots correspondant aux notions à restituer. La reformulation n'est pas un banal étiquetage de concepts. Elle est fondamentalement un acte d'intelligence, c'est-à-dire la mise en œuvre d'un ensemble " d'opérations vivantes et agissantes " [Jean Piaget], même si l'on n'a pas conscience de chacune d'elles[7]. »

À propos de cette étape cruciale, on a parfois parlé, sans grand succès, d'« unités de traduction » (en particulier, Vinay et Darbelnet dans leur *Stylistique comparée*). Est-il seulement possible de définir avec quelque rigueur ces mouvantes unités ? Et le jeu en vaut-il la chandelle ? Nous ne le pensons pas. Dans cette difficile étape de « restitution », trop de rigidité nuirait. La pratique nous apprend qu'il n'y a pas d'approche

6. Jacques Flamand, *op. cit.*, p. 29.
7. Jean Delisle, *op. cit.*, p. 77.

systématique qui soit vraiment efficace, qu'il vaut mieux se laisser aller au fil du texte, naviguer à l'estime en prenant pour repère la ligne d'horizon syntaxique. Mais cette navigation toute de vigilance et d'opportunisme n'est pas de tout repos. Flamand sait en parler, sans métaphore, avec beaucoup de pénétration : « Pour traduire un texte, il faut traduire ses paragraphes et, à l'intérieur des paragraphes, les unités linguistiques que sont les phrases. Pour traduire une phrase, il faut tout d'abord — rappel d'évidence — très bien comprendre la langue de départ, puis décomposer mentalement la phrase en ses principaux éléments. C'est alors qu'on doit pouvoir visualiser mentalement ces éléments, d'un seul regard, pour les dominer et n'en perdre aucun, et les situer les uns par rapport aux autres, dans leur logique et leur articulation interne. Il faut pouvoir maintenir cette vue mentale, à la fois synthétique et analytique — le tout et ses composants — pendant suffisamment de temps — quelques secondes — pour composer mentalement sa phrase dans la langue d'arrivée. Cette phrase traduite n'a pas forcément le même ordre des compléments, les mêmes images, la même longueur, mais ce qui est exprimé dans le texte de départ A se retrouve tout entier, même formulé différemment, dans le texte traduit B. Si bien que le lecteur de B apprend et découvre les mêmes signifiés que ceux qu'apprend et découvre le lecteur de A, et il lui reste après coup la perception d'une même information que celle perçue par le lecteur de A. Ainsi, le traducteur doit avoir assez de puissance synthétique pour conserver, le temps nécessaire, la vue mentale de l'ensemble de la phrase, tout en gardant à l'esprit l'impression et la connaissance générale de l'ensemble du texte qu'il traduit et, comme une onde plus éloignée, l'impression et la connaissance générale du contexte. Simultanément, le traducteur doit avoir assez de capacité analytique pour garder à l'esprit, le temps nécessaire, les divers éléments individuels qui, reliés ensemble, composent la phrase[8]. »

Quelques exercices préparatoires à l'étape de production

8. Jacques Flamand, *op. cit.*, p. 35.

du texte d'arrivée sont proposés ci-dessous, à la rubrique **Applications**.

Enfin, deux remarques à propos du double *contrôle du texte d'arrivée*. Du premier contrôle (confrontation texte de départ / texte d'arrivée), Delisle écrit : « Si, lors de la vérification, le traducteur se rapporte à l'original, c'est parce qu'il n'est pas vraiment sûr de l'exactitude ou de l'exhaustivité de son interprétation initiale. Il soupèse à nouveau chacun des éléments de sens de l'énoncé original et du sien [...] pour s'assurer que les deux formulations ont le même poids dénotatif et connotatif, puisqu'elles doivent rendre compte du même vouloir-dire[9]. »

Flamand décrit ainsi le second contrôle (relecture du texte d'arrivée) : « On reviendra seulement au texte d'arrivée, *en laissant de côté l'original*, et l'on s'appliquera, pour juger de la version traduite, à se mettre à la place d'un lecteur à la fois intéressé, attentif, critique et compétent[10]. »

Mais, avec ces dernières remarques, nous avons pénétré dans le domaine complexe de la technique de la révision, qui mériterait à lui seul un long développement. Nous nous contenterons d'indiquer ci-dessous quelques points pouvant servir à orienter la lecture de contrôle.

a) **Langue (correction) :**

— grammaticalité (morphologie, syntaxe) ;

— graphie (orthographe, typographie) ;

— « idiomaticité » (lexique, phraséologie).

b) **Culture (authenticité) :**

— « culturalité ».

c) **Discours (suivi du texte) :**

— cohésion ;

— cohérence ;

— tonalité.

Pour plus de détails, nous renvoyons à l'excellent manuel de Paul Horguelin, intitulé *Pratique de la révision* (Montréal, Linguatech, 1978).

9. Jean Delisle, *op. cit.*, p. 85.
10. Jacques Flamand, *op. cit.*, p. 31.

SOMMAIRE

L'*acte de traduction* peut s'analyser ainsi :

1. Déchiffrement du texte de départ :

- son identification pragmatique (type du texte, destinataire) ;
- sa compréhension profonde (extraction de l'information pertinente).

2. Production du texte d'arrivée :

- reformulation en langue d'arrivée de toute l'information pertinente.

3. Contrôle du texte d'arrivée :

- confrontation entre texte de départ et texte d'arrivée (contrôle du transfert de l'information) ;
- relecture du texte d'arrivée (contrôle de l'expression).

Cette analyse permet de jeter quelque lumière sur une opération complexe et, par là, d'en mieux contrôler l'exécution.

APPLICATIONS

Voici trois types d'exercices pouvant efficacement préparer à l'étape de production du texte d'arrivée.

1. Le schéma de déverbalisation

Cet exercice est à réserver à de courts passages (généralement inférieurs à la phrase) difficiles à interpréter, telle cette réplique imaginaire :

But, Sir, I ain't never done nothing to nobody, nohow!

L'exercice consiste à dégager toute l'information pertinente et à la présenter sous une forme schématique qui facilitera sa reformulation en langue d'arrivée.

Reprenons notre exemple. Mettons-le en situation en imaginant qu'il s'agisse d'une réplique prononcée par un accusé devant un tribunal. L'énoncé, légèrement adapté, deviendra alors :

But, Your Honour, I ain't never done nothing to nobody, nohow!

Son contenu central, référentiel, est une protestation *(But)*, qui peut se reformuler ainsi : *I am not guilty!* Son contenu stylistique est plus complexe ; il témoigne d'une certaine politesse de circonstance (l'adresse : *Your Honour*) et d'une forte charge expressive (le ton : celui de la protestation outrée). On avance parfois la formule : EXPRESSIVITÉ + GRAMMATICALITÉ = 1, ce qui signifie que ces deux notions sont en rapport inverse, l'une s'accroissant lorsque l'autre décroît. Grâce à cette formule, il est possible de se faire une idée de la force expressive de la protestation qui présente une suite, assez inhabituelle, de cinq négations (*ain't... never... nothing... nobody... nohow*) et connote un registre familier (on aura aussi remarqué la forme contractée *ain't*). Ce « cri du cœur » sera peut-être jugé déplacé en la circonstance, mais sa vraisemblance psychologique ne sera certainement pas mise en doute.

Le contenu d'ensemble de l'énoncé peut finalement se schématiser par ce simple tableau :

a) **Contenu référentiel**

- protestation d'innocence : *I am not guilty*
- politesse : *Your Honour*

b) **Contenu stylistique**

- formulation vigoureuse : la quintuple négation, la « solidification » phonétique (la sextuple allitération de la consonne *n*, la diction appuyée (facile à imaginer — débit précipité, accents d'insistance)
- registre familier : la syntaxe déviant de la norme, la forme contractée

Pour la traduction française, nous proposons :

> Mais, Votre Honneur, j'ai jamais fait de mal à une mouche, moi, de ma vie !

Cet énoncé, dont la force expressive prend évidemment une allure différente (le cliché, l'absence partielle de négation, le pronom de soulignement **moi**, la reprise syntaxique **de ma vie**, la sextuple allitération des *m*), n'en constitue pas moins, à notre avis, une équivalence informationnelle acceptable : s'y retrouvent les quatre contenus pertinents — *protestation*, *politesse*, *vigueur*, *familiarité*.

L'exercice relève surtout de la pédagogie de la traduction. Mais, à l'occasion, il peut être efficacement utilisé comme technique de traduction par tout traducteur que rendrait perplexe un énoncé récalcitrant.

2. La chaîne sémantique[11]

L'exercice porte cette fois sur un passage de longueur moyenne (de l'ordre du paragraphe ou de la page). Contrairement au précédent, qui peut être occasionnellement utilisé par le professionnel, celui-ci, assez long à exécuter, est à réserver à l'usage pédagogique. Son but : attirer l'attention de l'apprenant sur le « tissu du texte » — les liens qui, de loin en loin, cousent les phrases ensemble, les fils sémantiques qui les parcourent et les unissent.

Soit l'annonce publicitaire suivante :

Twice a day
Clinique is the skin care system women believe in
because it works.
Clinique's dermatologists worked it out this way.
3 products, 3 steps, 3 minutes,
each morning and night.
Clean with Clinique's great soap.
Clear away with a clarifier for your skin type.
Replenish with moisturizer.
That's it. That's all.
For skin that just gets better and better looking.
Every day of your life.
All Clinique products are 100% fragrance free.

La lecture attentive de ce texte suggère l'existence de plusieurs *chaînes sémantiques* formées autour des « idées » de :

— « médicalité » ;
— « facilité d'utilisation » ;
— « efficacité ».

Il convient maintenant de découvrir comment chacune de ces idées se modèle au fil du texte. Pour y parvenir, trois étapes :

11. Pour plus de détails, on pourra se reporter à notre étude : « Pour une sémantique textuelle : l'analyse du texte publicitaire », *Actes du sixième colloque de la S. I. L. F.* (Rabat [Maroc], Publications de la Faculté de lettres et sciences humaines de l'Université de Rabat, 1980), p. 177-183.

a) **Première étape**.

Extraction de tous les fragments de texte qui manifestent l'idée. On arrive alors aux extractions suivantes :

i) « médicalité »

Twice a day
Clinique
skin care system
Clinique's dermatologists
3 + 3 + 3
each morning and night
clarifier
moisturizer
100% fragrance free

ii) « facilité d'emploi »

3 + 3 + 3
3 minutes
each morning and night
clean... clear away... replenish
That's it. That's all.

iii) « efficacité »

women believe in
it works
clean
great soap
clear away
replenish
skin just gets better and better
every day of your life

b) **Deuxième étape**.

Traitement des données. — Ce traitement s'effectue en deux temps :

i) L'identification formelle.

On se rend compte ici que ce sont tous les types de structures qui sont susceptibles de participer à l'élaboration du sens :

— des *structures lexicales*, bien sûr, massivement ;

— mais aussi des *structures grammaticales* (par exemple, l'impératif *clean*, *clear away*) ;

— ainsi que des *structures rhétoriques* (par exemple, l'énumération *3 products, 3 steps, 3 minutes* connotant la « facilité »).

ii) L'identification sémantique.

On précisera si le fragment signifie *dénotativement*, d'une manière directe, ou *connotativement*, d'une manière détournée, suggestive. Par exemple, pour l'idée de « médicalité », *Clinique* dénote l'univers médical, *twice a day* connote l'ordonnance du médecin. Pour l'idée de « facilité d'emploi », les énumérations *connotent* des opérations rapides, effectuées sans difficulté.

c) **Ainsi de suite, jusqu'à la troisième étape**, qui consiste en l'établissement d'un tableau rendant compte des chaînes sémantiques du texte. Par exemple, pour la chaîne « facilité d'emploi » :

Chaîne textuelle	Formes	Significations
3 + 3 + 3	rhétorique	connote l'« aisance »
3 minutes	lexique	connote la « rapidité »
each morning and night	lexique	connote l'« habitude »
clean... clear away... replenish	grammaire et rhétorique	connote l'« aisance » et la « rapidité »
that's it... all	lexique	dénote « aisance » et « rapidité »

On pourra se livrer à la même lecture approfondie avec le passage ci-dessous provenant de *Vipère au poing*, d'Hervé Bazin :

> « Ne t'empiffre pas ainsi, mon garçon ! »
>
> [...] ce barbu de Kervazec me fit un cours mondain sur le péché de gourmandise. Un cours à l'usage d'enfants gâtés, où revenait sans cesse le mot « vilain ». Cette gronderie sucrée m'écœura[12].

La scène est facile à situer : la réplique qui l'ouvre est prononcée par la mère du narrateur, qui est un enfant de douze ans au moment de l'incident rapporté. Il est alors en train d'offrir des petits fours aux invités de ses parents lors d'une réception donnée chez eux.

Deux chaînes sémantiques nous semblent s'imposer autour des idées de « réprimande » et de « gourmandise ».

i) « réprimande »
Ne t'empiffre pas ainsi
me fit un cours
Un cours
« vilain »
gronderie

ii) « gourmandise »
empiffre
gourmandise
enfants gâtés
sucrée
m'écœura

Après l'établissement du tableau représentant ces deux chaînes, on pourra proposer une traduction du passage :

> *"Don't stuff your face like that, my boy!"*
>
> *[...] this hairy-faced Kervazec read me a formal lecture on the sin of gluttony. A lecture for spoiled children full of 'bads' and 'naughtys'. This bittersweet scolding made me feel sick.*

12. Hervé Bazin, *Vipère au poing*, Paris, Grasset, coll. Le Livre de poche, 1948, p. 103.

À partir de cette traduction, il est possible, si on le trouve souhaitable, d'établir un second tableau, symétrique du premier, qui mettra en rapport les fragments correspondants des deux textes. On voit alors tout l'intérêt que représente pour l'opération de traduction un rapprochement de ce genre : moyen terme entre le texte de départ et le texte d'arrivée, le double tableau permettra successivement une meilleure analyse du premier et une évaluation précise du second, quant aux points forts de leur écriture. Le tableau offre, en outre, l'avantage théorique de ne pas séparer les significations examinées de leur réalisation formelle.

3. La fiche de conversion

Il s'agit simplement ici de récapituler les caractéristiques du texte de départ (identification pragmatique, information pertinente) en leur donnant la forme d'une fiche simple, qu'il sera facile de consulter lors de la production du texte d'arrivée.

Pour le bulletin météorologique du chapitre précédent, par exemple (voir ci-dessus p. 118-119), la fiche de conversion pourra se présenter ainsi :

Identification pragmatique.

Bulletin météorologique de « situation générale » émis par une station centrale et destiné à des stations locales.

Information pertinente.

- **Information référentielle**. Sont à traduire avec précision toutes les données techniques relatives aux phénomènes atmosphériques mentionnés (*storm*, *precipitation*, *snow*, *rain*, *snowfall*, *rain*), à leur localisation dans le temps (*at forecast time*, *during the next two days*, *before noon*, *later in the day*, *overnight*, *tonight and on Wednesday*, *Wednesday*), à leur localisation dans l'espace (*centered over Virginia*, *northeastward*, *over extreme southwestern Nova Scotia*, *northeastward*, *at most localities*, *over northern New Brunswick*, *the remainder of the*

Maritimes) et liées à leur évolution (*will move slowly, spread, for a few hours at least before changing to rain, will be heavy at times and continue Wednesday*).

N.B. L'alternance *will* / *should* exprime ici l'opposition « certitude » / « probabilité ».

• **Information stylistique**. Rédaction technique, écriture dépouillée : précision lexicale, simplicité syntaxique ; ton neutre, objectif, exempt de toute émotivité.

SUGGESTIONS DE LECTURES

- Jean Delisle, *L'Analyse du discours comme méthode de traduction*, Ottawa, Éd. de l'Université d'Ottawa, coll. Cahiers de traductologie, n° 2, 1980 (avec son *Livre du maître*).

- Jacques Flamand, *Écrire et traduire : sur la voie de la création*, Ottawa, Éd. du Vermillon, 1983.

- Paul A. Horguelin, *Pratique de la révision*, Montréal, Linguatech, 1978.

- Nestor Schumacher, « Analyse du processus de la traduction : conséquences méthodologiques », *Meta*, vol. 9, n° 3, septembre 1973, p. 308-314.

CONCLUSION

LES STRATÉGIES DE TRADUCTION, LA TRADUCTION PÉDAGOGIQUE

Traduire, nous l'avons dit à plusieurs reprises, c'est avant tout se mettre au service de ses futurs lecteurs et fabriquer à leur intention un *équivalent* du texte de départ : soit, d'abord, un texte qui livre, avec le moins de distorsion possible, toute l'information contenue dans celui d'origine. Mais traduire, c'est aussi produire un texte duquel il convient d'exiger trois autres qualités : qu'il soit rendu « naturellement » en langue d'arrivée (qu'il « ne sente pas la traduction », dit-on couramment), qu'il soit parfaitement intégré à la culture d'arrivée et qu'il parvienne, par une adroite manipulation de l'écriture, à donner l'idée la plus juste de l'originalité et des inventions stylistiques de l'auteur traduit.

Ces principes généraux sont bien établis, ils ont été discutés tout au long de l'ouvrage, et doivent être observés. Mais ils laissent dans l'ombre un aspect de l'acte de traduction, évoqué à la page 9 (dans « L'information pragmatique ») et sur lequel nous voudrions maintenant revenir.

Les textes possèdent des caractéristiques pragmatiques (appartenance à un domaine et à un genre, finalité) qui font que chacun d'eux, agissant dans un sens déterminé, constitue un *discours orienté* — argumentatif, didactique, dramatique, idéologique, mythique, poétique, polémique, politique[1]... — imposant ses contraintes au traducteur comme aux lecteurs.

La traduction littéraire, par exemple, surtout préoccupée de ne pas trahir l'esthétique des œuvres à traduire, semble privilégier la qualité du rendu en langue d'arrivée ; quant à la traduction poétique, plus particulière, elle « est peut-être à l'écriture ce que l'interprétation est à la musique[2] ». Alors que

1. Beaucoup reste à faire pour établir une typologie des textes qui soit satisfaisante, laquelle serait de la plus grande utilité pour les études en traduction. On lira à ce sujet « On Text Classification », de Matthias Dimter (p. 215-230 de *Discourse and Literature*, publié sous la direction de Teun A. Van Dijk, Amsterdam / Philadelphie, John Benjamins Publishing Co., 1985).

2. Pierre Lexert, « L'enfer de part et d'autre », *Qui-vive international* (Paris), n° 1, nov. 1985, p. 12. — L'auteur compare trois versions françaises de *L'Enfer* de Dante. Voir aussi « Un poème et cinq traductions », de Georges Mounin, qui a pour texte de départ un court poème d'Umberto Saba, *La Capra* (dans *Linguistique et Traduction*, Bruxelles, Dessart et Mardaga, 1976, p. 173-185).

la traduction philosophique, différemment orientée, opte généralement pour l'extrême précision du sens, « au détriment même de la qualité de la langue. Le problème est simple : contrairement à la poésie ou au roman, le texte philosophique ne cherche pas à produire des effets sensibles et émotifs, mais l'intelligibilité d'un langage technique. [...] L'intelligibilité commande en effet la fidélité la plus poussée à la nuance du sens des notions, ce qui très souvent contraint à contrarier les habitudes de [la langue d'arrivée], par néologie, prolifération de termes, et tant pis pour la lisibilité[3]. »

À l'instar du texte philosophique et à l'opposé du texte littéraire, le texte juridique — donc, aussi sa traduction — évite comme la peste le flou sémantique et consent, semble-t-il, à n'importe quelle lourdeur, pourvu que soit évitée toute ambiguïté, toujours très onéreuse dans ce domaine.

Proches en cela du texte juridique, le texte technique et le texte scientifique. Et ainsi de suite... « Le doublage est fonction des mille servitudes du cinéma autant que des lignes du texte original[4]. » « Le doubleur est tenu de composer un [texte d'arrivée] qui sonne juste, qui soit parfaitement naturel, et qui " colle " néanmoins aux lèvres de l'étranger sans cesse visibles et à sa mimique[5]. »

La traduction de la littérature enfantine n'échappe pas à la règle ; elle présente, elle aussi, « des exigences très particulières, que l'on peut assimiler dans une certaine mesure à celles qui surgissent dans la traduction des poètes. Un élément nouveau s'y ajoute en général du fait de l'illustration, et cet élément est souvent tyrannique. [Un] texte anglais parle [par exemple] de *traffic jam* **(embouteillage)** et joue sur le mot *jam*, qui signifie aussi **confiture**. Le traducteur aurait la partie belle avec les doubles sens du mot **embouteillage**, avec les voitures

3. Charles Olivier Lefebvre, « La traduction en philosophie est-elle possible *a priori* ? », *Qui-vive international*, n° 4, sept. 1986, p. 12.

4. Edmond Cary, *Comment faut-il traduire ?*, Lille, Presses de l'Université de Lille, 1985 (avec une introduction, une bibliographie et un index de Michel Ballard), p. 85. L'ouvrage rapporte sept entretiens radiodiffusés en 1985 par l'Université radiophonique et télévisuelle internationale.

5. *Id.*, *La Traduction dans le monde moderne*, Genève, Georg S. A., 1956, p. 107.

en carafe, que sais-je encore. Mais l'image montre, d'une part des autos et, de l'autre, un magnifique pot de marmelade[6]. »

Et l'infortuné traducteur se tire d'affaire comme il peut :

Voitures en marmelade
au coin
Des rues, à la nuit.
J'aime mieux la marmelade
de coings
Et de pommes d'api[7] !

Il n'y a donc pas une traduction unique mais plusieurs types de traduction, imposant chacun des impératifs spécifiques. On ne traduit pas de la même façon un roman, un poème, un écrit philosophique, un ouvrage technique ou scientifique, un film, un livre d'enfants, une « BD »... Pour chaque type de traduction, une *stratégie* est à définir, qui guidera le traducteur dans ses choix et l'aidera à demeurer fidèle au vrai discours du texte.

*
* *

Mais une stratégie s'oppose à toutes les autres : celle de la *traduction pédagogique*. Pour celle-ci, en effet, le texte d'arrivée cesse d'être une fin en soi, et le traducteur un professionnel au service d'une clientèle. Seule compte désormais l'activité de traduction — non son résultat — et cette activité trouve place naturellement dans la panoplie scolaire des exercices de langue, préparés en vue de l'amélioration linguistique de l'apprenant. Quelques réflexions, pour finir, sur cette utilisation particulière des techniques de traduction.

Ces dernières lignes sont d'abord destinées aux collègues professeurs de langues vivantes qui auront bien voulu nous lire jusqu'ici. Elles se veulent avant tout une réhabilitation

6. *Id.*, *Comment faut-il traduire ?*, *op. cit.*, p. 54.
7. *Id.*, *La Traduction dans le monde moderne*, *op. cit.*, p. 93, 94.

nuancée des divers exercices de traduction dans la classe de langue. Il nous a semblé être clair, toutefois, qu'au stade initial d'un enseignement de langue vivante l'objectif prioritaire doit être d'assurer, chez l'apprenant, l'autonomie du système linguistique de la langue à l'étude, de manière à lui permettre d'arriver progressivement à une expression spontanée de moins en moins embarrassée, de plus en plus satisfaisante. Pour obtenir ce difficile résultat et l'amener peu à peu à « penser dans l'autre langue », il convient non seulement de faire acquérir à l'étudiant les moyens linguistiques indispensables à son expression, mais aussi de l'aider à se soustraire à l'emprise tyrannique de sa langue maternelle.

Priorité donc à l'expression spontanée — orale surtout. Une priorité qui, à ce stade de l'apprentissage, s'exprime par des techniques « globales » et « directes », lesquelles refusent en général le recours à la langue maternelle et excluent presque totalement l'usage de la traduction.

Cependant, lorsque l'apprenant est parvenu à un stade supérieur (représenté en gros par les niveaux intermédiaire et avancé de l'enseignement des langues), c'est-à-dire lorsqu'il réussit à communiquer avec une certaine efficacité, l'introduction des exercices de traduction prend alors tout son sens. En effet, l'accès à la bonne communication conduit aussi, dans bien des cas, au *piétinement* : les progrès à faire n'étant plus indispensables à l'échange linguistique, l'apprenant, pour se sortir d'embarras, sait maintenant faire appel à la paraphrase, comme il le fait couramment et spontanément dans sa langue maternelle. Il prend ainsi l'habitude d'esquiver les difficultés — et même de les ignorer ! — plutôt que de les affronter. C'est alors que la traduction a son mot à dire : contrairement à l'expression libre, *elle force l'apprenant à prendre clairement conscience de ses lacunes ; elle le force aussi à les combler.*

Il est tout à fait possible de comprendre un énoncé d'une manière satisfaisante, d'être capable même de le résumer correctement dans ses grandes lignes, sans pour autant en saisir toutes les nuances. C'est que, dans le processus de compréhension, à l'oral comme à l'écrit, il est habituel de sauter par-dessus les obstacles pour aller de l'avant, droit à ce qui paraît être l'essentiel. Mais, outre que l'essentiel peut parfois se cacher dans les passages négligés, une telle attitude, toute pragmatique et parfaitement adaptée à la communication courante, ne permet nullement l'amélioration de la compétence linguistique, et ne possède donc aucune vertu pédagogique.

La traduction, au contraire, qui oblige à faire face aux problèmes, favorise cette amélioration. C'est là, dans la perspective d'un enseignement de langue, son avantage le plus précieux. Il n'est pas mince. Il n'est pas non plus le seul. Qu'on nous permette d'en rappeler quelques autres :

• l'*enrichissement des connaissances culturelles* obtenu par l'étude comparée de deux civilisations ;

• une *meilleure appréciation des textes*, littéraires et autres, obtenue par l'observation minutieuse des différentes stratégies de composition ;

• l'*amélioration de la rédaction* (en langue maternelle ou en langue-cible suivant l'orientation des exercices). — Il s'agit là d'un des objectifs majeurs de tout enseignement en lettres et sciences humaines. L'exercice de traduction, qui focalise l'attention sur l'expression, donne à l'étudiant la substance du contenu à traduire, ainsi que l'essentiel de la forme que ce contenu doit prendre dans l'ensemble du texte à produire. Le texte de départ reste alors un modèle qui permet de mesurer concrètement et commodément la justesse de l'imitation que constitue le texte d'arrivée.

Deux remarques, pour finir.

1) Lorsque nous parlons ici d'exercices de traduction, nous entendons non seulement la traduction proprement dite mais aussi tous les exercices connexes du genre de ceux que nous avons proposés dans les **Applications**.

2) Que faudrait-il enseigner des connaissances qui ont été présentées ? À quels niveaux ? Par quels exercices ? Nous

n'avons pas la prétention de répondre catégoriquement à ces questions. Elles relèvent de la seule compétence pédagogique du professeur de langue, qui prendra lui-même ses propres décisions en fonction des programmes et des situations particulières qui lui sont imposées[8].

Par la réflexion à laquelle nous les avons conviés, nous avons surtout voulu aider nos collègues dans leurs choix et, le cas échéant, les encourager à faire à la traduction la place qu'elle mérite parmi les techniques d'enseignement qu'ils utilisent dans leurs classes.

8. Mentionnons toutefois un très récent article de Jean-René Ladmiral, « Pour la traduction dans l'enseignement des langues : " Version " moderne des humanités », dans *La Traduction : de la théorie à la didactique* (sous la direction de Michel Ballard, Lille, Université de Lille II, coll. Travaux et Recherches, 1984), p. 39-56. — Nos collègues y trouveront d'excellentes suggestions (à condition qu'ils prennent la peine de franchir l'obstacle, aussi incommode qu'inutile, de l'écriture jargonnante de l'auteur). Ladmiral, qui reprend et prolonge certaines de ses analyses antérieures (voir son *Traduire : théorèmes pour la traduction*, Paris, Payot, coll. Petite Bibliothèque Payot, 1979), indique ici le moyen de « réhabiliter la traduction et [d']en renouveler la pédagogie » grâce à la technique du « séminaire de traduction », qu'il définit « par contraste sinon véritablement en opposition avec les classiques " T.P. (travaux pratiques) de version " ». Cet article substantiel (18 pages) appartient à un recueil de dix études réunies par Michel Ballard. Les autres études, au demeurant toutes intéressantes, ne sont pas spécialement centrées sur l'enseignement de langue vivante, et ne distinguent pas toujours clairement celui-ci de celui de la traduction professionnelle.

BIBLIOGRAPHIE RÉCAPITULATIVE

ALAIN-FOURNIER (Alain Alban Fournier dit), *Le Grand Meaulnes*, Paris, Émile-Paul Frères, éd., 1922, 363 p.

ALBERT, Lorraine : *voir* DELISLE, Jean.

ALLEN, Robert Thomas, *The Great Lakes*, Toronto, Natural Science of Canada, 1970, 160 p.

ALVAREZ-PEREYRE, « Éléments pour une syntaxe des termes d'adresse », *Langue française* (Paris), nº 35, sept. 1977, p. 117-119.

ARMENGAUD, Françoise, *La Pragmatique*, Paris, Presses universitaires de France, coll. Que sais-je ?, 1985, 128 p.

ARRABAL, Fernando, *Pic Nic, El Triciclo, El Laberinto*, éd. établie par Angel BERENGUER, Madrid, Éd. Cátedra, 1977, 267 p.

BACHALA, Nicole, BENTOLILA, Alain, et CARVALHO, Vera, « Structures syntaxiques des textes publicitaires », *Langue française* (Paris), nº 35, sept. 1977, p. 107-112.

BALLARD, Michel, *La Traduction de l'anglais, théorie et pratique : exercices de morphosyntaxe*, Lille, Presses universitaires de Lille, 1980, 187 p.

——— (sous la direction de), *La Traduction : de la théorie à la didactique*, Lille, Université de Lille III, coll. Travaux et Recherches, 1984, 138 p.

——— : *voir aussi* CARY, Edmond.

BASSNETT-MCGUIRE, Susan, *Translation Studies*, Londres / New York, Methuen, New Accents Series, 1980, 159 p.

BAUDELAIRE, Charles, *Œuvres complètes*, texte établi et annoté par Y.-G. LE DANTEC, Paris, Gallimard, coll. Bibliothèque de la Pléiade, 1 576 p.

BAUDOT, Alain, et LIOR, Thérèse, *Basic Rules for Typesetting in French: Where They Differ from Rules for English*, Toronto, G.R.E.F., 1984, v-10 p.

BAZIN, Hervé, *Vipère au poing*, Paris, Grasset, coll. Le Livre de poche, 1948, 276 p.

BÉDARD, Claude, *La Traduction technique : principes et pratique*, Montréal, Linguatech, 1986, vi-254 p.

BENTOLILA, Alain : *voir* BACHALA, Nicole.

BRADBURY, Ray, « The Pedestrian », dans *The Golden Apples of the Sun*, Londres, Rupert Hart Davis, 1953, p. 18-23.

BRASSENS, Georges, *Poèmes et Chansons*, Paris, Éd. musicales 57, 1973, 632 p.

BÜHLER, Karl, *Sprachtheorie*, réimpr., Stuttgart, Gustav Fischer Verlag, 1965 (Iéna, 1934), 434 p.

CAJOLET-LAGANIÈRE, Hélène, *Le français au bureau*, 2e éd. revue et augmentée, Québec, Éd. officiel du Québec, coll. Cahiers de l'Office de la langue française, 1982, 197 p.

CAMUS, Albert, *La Chute*, Paris, Gallimard, 1956, 169 p.

———, *The Fall*, traduit du français par Justin O'Brien, New York, Alfred A. Knopf, 1957, 147 p.

The Canadian Style Manual: A Guide to Writing and Editing, Ottawa, Secrétariat d'État / Dundurn Press, 1985, 256 p.

CAPOTE, Truman, *De sang-froid*, traduit de l'anglais par Raymond GIRARD, Paris, Gallimard, 1966, 507 p.

CARVALHO, Vera, « Télégrammes stop caractéristiques », *Langue française* (Paris), n° 35, sept. 1977, p. 113-116.

——— : *voir aussi* BACHALA, Nicole.

CARY, Edmond, *La Traduction dans le monde moderne*, Genève, Georg S. A., 1956, 198 p.

———, *Comment faut-il traduire ?*, introduction, bibliographie et index de Michel BALLARD, Lille, Presses de l'Université de Lille, 1985, 96 p.

CÉLINE (Louis-Ferdinand DESTOUCHES, dit Louis-Ferdinand), *Voyage au bout de la nuit*, dans *Romans*, éd. présentée, établie et annotée par Henri GODARD, Paris, Gallimard, coll. Bibliothèque de la Pléiade, t. I, 1981, p. 1-505.

———, *Journey to the End of Night*, traduit du français par John H.P. MARKS, Boston, Little, Brown & Co., 1934, 509 p.

Colloque sur la traduction poétique, Paris, Gallimard, 1978, 314 p. (Colloque organisé par le Centre Afrique-Asie-Europe de l'Institut de littérature générale et comparée, Université de Paris-III [Sorbonne nouvelle], 8-10 décembre 1972.)

DARBELNET, Jean, « Sémantique et civilisation », *Le français dans le monde* (Paris), n° 81, juin 1971, p. 15-19.

——— : *voir aussi* VINAY, Jean-Paul.

DELISLE, Jean, *L'Analyse du discours comme méthode de traduction*, Ottawa, Éd. de l'Université d'Ottawa, coll. Cahiers de traductologie, n° 2, 1980, 282 p. (*Livre du maître, ibid.*, 113 p.)

———, et ALBERT, Lorraine, *Guide bibliographique du traducteur, rédacteur et terminologue / Bibliographic Guide for Translators, Writers and Terminologists*, Ottawa, Éd. de l'Université d'Ottawa, coll. Cahiers de traductologie, n° 1, 1979, 207 p.

DIMTER, Matthias, « On Text Classification », dans *Discourse and Literature* (sous la direction de Teun A. VAN DIJK), Amsterdam / Philadelphie, John Benjamins Publishing Co., 1985, p. 215-230.

DUBÉ, Gérard-A., et SOUCIE-DUBÉ, Andrée, *Contes roses*, Montréal, Guérin, 1978, 68 p.

ÉLUARD, Paul, *Œuvres complètes*, éd. établie par Marcelle DUMAS et Lucien SCHELER, Paris, Gallimard, coll. Bibliothèque de la Pléiade, t. II, 1984 (1968), 1 512 p.

FARGUE, Léon-Paul, *Poésies*, Paris, Gallimard, 1967, 160 p.

FLAMAND, Jacques, *Écrire et traduire : sur la voie de la création*, Ottawa, Éd. du Vermillon, 1983, 147 p.

FRÉDÉRIC, François, « Le langage et ses fonctions », dans *Le Langage* (sous la direction d'André MARTINET), Paris, Gallimard, coll. Encyclopédie de la Pléiade, 1968, p. 3-19.

FUCHS, Catherine, *La Paraphrase*, Paris, Presses universitaires de France, coll. Linguistique nouvelle, 1982, 184 p.

GALISSON, Robert, « Pour un dictionnaire des mots de la culture populaire », *Le français dans le monde* (Paris), nº 188, oct. 1984, p. 57-63.

GERMAIN, Claude, *La Notion de situation en linguistique*, Ottawa, Éd. de l'Université d'Ottawa, 1973, 168 p.

———, *The Concept of Situation in Linguistics*, traduit du français par B.J. WALLACE, Ottawa, Éd. de l'Université d'Ottawa, 1979, 133 p. (Traduction du précédent.)

Guide du rédacteur de l'administration fédérale (sous la direction de Denise MCCLELLAND, Ottawa, Secrétariat d'État, Bureau des traductions (Approvisionnements et Services Canada), 1983, 218 p.

GUILLEMIN-FLESCHER, Jacqueline, *Syntaxe comparée du français et de l'anglais (problèmes de traduction)*, Paris, Éd. Ophrys, 1981, 556 p.

HÉBERT, Anne, et SCOTT, Frank, *Dialogue sur la traduction : à propos du* **Tombeau des rois**, Montréal, Éd. HMH, coll. Sur parole, 1970, 110 p.

HENRY, O., *Strictly Business*, Garden City (New York, É.-U.), Doubleday, Page & Co., 1920, 310 p.

HORGUELIN, Paul A., *Pratique de la révision*, Montréal, Linguatech, 1978, 189 p.

JAKOBSON, Roman, *Essais de linguistique générale*, traduit de l'anglais et préfacé par Nicolas RUWET, Paris, Éd. de Minuit, coll. Points, 1963, 257 p.

JEANTET FIELDS, Robert, « Un retour à la traduction comme moyen d'étude », *The French Review* (Champaign, Illinois, É.-U.), févr. 1983, vol. 56, nº 3, p. 456-459.

KEREKES, C., et SARMIENTO, P., *Modèle d'analyse de culture comparative*, Besançon, polycopié, 1977.

KLEIN-LATAUD, Christine, et TATILON, Claude, « La traduction des structures grammaticales », *Meta* (Montréal), vol. 31, n° 4, déc. 1986, p. 370-376.

LADMIRAL, Jean-René, *Traduire : théorèmes pour la traduction*, Paris, Payot, 1979, 277 p.

———, « Pour la traduction dans l'enseignement des langues : " version " moderne des humanités », dans *La Traduction : de la théorie à la didactique* (sous la direction de Michel BALLARD), Lille, Université de Lille III, coll. Travaux et recherches, 1984, p. 39-56.

LANSON, Gustave, « Stéphane Mallarmé », *Revue universitaire*, vol. 2, 1893, p. 121-132.

LARBAUD, Valery, *Sous l'invocation de saint Jérôme*, 8e éd., Paris, Gallimard, 1946, 341 p.

———, *De la traduction*, Arles, Éd. Actes Sud, 1984, 72 p. (Extrait du précédent.)

LEDERER, Marianne : *voir* SELESKOVITCH, Danica.

LEFEBVRE, Charles Olivier, « La traduction en philosophie est-elle possible *a priori* ? », *Qui-vive international* (Paris), n° 4, sept. 1986, p. 12, 13.

LÉON, Pierre R., *Essais de phonostylistique*, Montréal / Paris / Bruxelles, Didier, 1971, 185 p.

———, « Modèles et fonctions pour l'analyse de l'énonciation », *Le français dans le monde* (Paris), n° 145, mai-juin 1971, p. 54-59, 69.

LEXERT, Pierre, « L'enfer de part et d'autre », *Qui-vive international* (Paris), n° 1, nov. 1985, p. 11-16.

LIOR, Thérèse : *voir* BAUDOT, Alain.

MAILLOT, Jean, *La Traduction scientifique et technique*, Paris, Eyrolles, 1969, 233 p.

MANDEL, Eli, *Crusoe: Poems Selected and New*, Toronto, Anansi, 1973, 108 p.

MARGOT, Jean-Claude, *Traduire sans trahir : la théorie de la traduction et son application aux textes bibliques*, Lausanne, Éd. L'Âge d'homme, coll. Symbollon, 1979, 392 p.

MARTINET, André, *Éléments de linguistique générale*, 2e éd., Paris, A. Colin, 1967, 219 p.

———, *Studies in Functional Syntax / Études de syntaxe fonctionnelle*, Munich, Wilhelm Fink Verlag, 1975, 275 p.

———, *Grammaire fonctionnelle du français*, Paris, Didier-Crédif, 1979, 276 p.

———, « Une langue et le monde », *Dilbilim* (Istamboul), n° 5, 1980, p. 1-11.

MOIRAND, Sophie, *Situations d'écrit*, Paris, CLE international, coll. Didactique des langues étrangères, 1979, 175 p.

MOUNIN, Georges, *Les Belles Infidèles*, Paris, Cahiers du Sud, 1955, 159 p.

———, *Les Problèmes théoriques de la traduction*, Paris, Gallimard, 1963, 297 p.

———, « Les fonctions du langage », *Word*, vol. 23, nos 1-2-3, avr.-août-déc. 1967, p. 396-413.

———, « Les langues et les mentalités », *L'Arc* (Aix-en-Provence), n° 72, s.d., p. 52-62. (Numéro consacré à Georges Duby.)

———, *Linguistique et Traduction*, Bruxelles, Dessart et Mardaga, coll. Psychologie et Sciences humaines, 1976, 276 p.

NIDA, Eugene A., « Linguistics and Ethnology in Translation Problems », *Word*, n° 2, 1945, p. 194-208.

———, « Difficulties in Translating Hebrews 1 into Southern Lengua », dans *Language Structure and Translation*, Stanford (Californie), Stanford University Press, 1975, p. 71-78.

———, « Words and Thoughts », dans *Language Structure and Translation*, Stanford (Californie), Stanford University Press, 1975, p. 184-191.

———, « Translating Means Communicating: A Sociolinguistic Theory of Translation », dans *Linguistics and Anthropology* (sous la direction de Muriel SEVILLE-TROIKE),

Georgetown (Washington, É.-U.), Georgetown University Press, 1977, p. 213-229.

———, « Traducción y estilo », *Teoria y práctica de la traducción (Primer encuentro internacional de traductores)*, Santiago, Editiones Universidad Católica de Chile, 1981, p. 25-31.

La Nouvelle Poésie comique, numéro spécial de la revue *Poésie 1*, n° 22, févr. 1972, 128 p.

OUSMANE, Sembène : *voir* SEMBÈNE, Ousmane.

PAZ, Octavio, « Traduction : littérature et littéralité », traduit de l'espagnol par Claude ESTEBAN, *Nouvelle Revue française*, n° 224, 1971, p. 26-37.

PRÉVERT, Jacques, *Paroles*, réimpr., Paris, Gallimard, coll. Folio, 1985 (1949), 252 p.

QUENEAU, Raymond, *Le Chien à la mandoline*, Paris, Gallimard, 1965, 243 p.

RICHAUDEAU, François, *La Lisibilité*, Paris, Denoël, 1969, 301 p.

———, *Le Langage efficace*, Paris, Éd. Marabout, 1979, 320 p.

RONSARD, Pierre de, *Les Amours (Amours de Cassandre, Amours de Marie, Sonnets pour Astrée, Sonnets pour Hélène, Amours diverses)*, texte établi par Albert-Marie SCHMIDT, préface et notes de Françoise JOUKOVSKY, Paris, Gallimard, coll. Poésie, 1974, 448 p.

SAN-ANTONIO (Frédéric DARD dit), *Dégustez, gourmandes !*, Paris, Éd. Fleuve noir, 1985, 220 p.

SARMIENTO, P. : *voir* KEREKES, C.

SCHUMACHER, Nestor, « Analyse du processus de la traduction : conséquences méthodologiques », *Meta* (Montréal), vol. 18, n° 3, sept. 1973, p. 308-314.

SCOTT, Frank : *voir* HÉBERT, Anne.

SELESKOVITCH, Danica, « Pour une théorie de la traduction inspirée de sa pratique », *Meta* (Montréal), vol. 25, n° 4, déc. 1980, p. 401-408.

———, « Recherche universitaire et théorie interprétative de la traduction », *Meta* (Montréal), vol. 26, n° 3, sept. 1981, p. 304-308.

———, et LEDERER, Marianne, *Interpréter pour traduire*, Paris, Publications de la Sorbonne / Didier Érudition, coll. Traductologie 1, 1984, 311 p.

SEMBÈNE, Ousmane, *Les Bouts de bois de Dieu*, Paris, Presses Pocket, 1973 (Le Livre contemporain, 1960), 381 p.

SOUCIE-DUBÉ, Andrée : *voir* DUBÉ, Gérard.

TATILON, Claude, « Le traducteur face au problème de la quadrature du style », *Cahiers de linguistique, d'orientalisme et de slavistique* (Aix-en-Provence), n°s 5-6, janv.-juill. 1975, numéro intitulé *Hommage à Georges Mounin*, p. 405-414.

———, *Sonorités et Texte poétique*, Montréal / Paris / Bruxelles, Marcel Didier Canada, coll. Studia Phonetica, n° 10, 1976, 144 p.

———, « Le symbole verbal : pièce à conviction du texte littéraire », dans *Analyse du Discours / Discourse Analysis*, Montréal, Centre éducatif et culturel, 1976, p. 63-74.

———, « Traduire la parole publicitaire », *La Linguistique* (Paris), vol. 14, n° 1, 1978, p. 76-87.

———, « Pour une sémantique textuelle : l'analyse du texte publicitaire », *Actes du sixième colloque de la S. I. L. F.*, Rabat (Maroc), Publications de la Faculté des lettres et sciences humaines de l'Université de Rabat, 1980, p. 177-183.

———, « Traitement des unités lexicales », *Meta* (Montréal), vol. 27, n° 2, juin 1982, p. 167-172.

———, « La traduction du style », *Multilingua* (Amsterdam), vol. 3, n° 1, 1984, p. 3-9.

——— : *voir aussi* KLEIN-LATAUD, Christine.

TROUBETZKOY, Nicolas S., *Principes de phonologie*, traduit de l'allemand par J. CANTINEAU, Paris, Librairie C. Klincksieck, 1967 (1949), 396 p.

VINAY, Jean-Paul, « La traduction humaine », dans *Le Langage* (sous la direction d'André MARTINET), Paris, Gallimard, coll. Encyclopédie de la Pléiade, 1968, p. 729-757.

———, et DARBELNET, Jean, *Stylistique comparée du français et de l'anglais (méthode de traduction)*, Paris / Montréal, Didier / Beauchemin, 1971, 332 p. (Avec les deux *Cahiers d'exercices*.)

VOLKOFF, Vladimir, *Le Montage*, roman, Paris / Lausanne, Julliard / L'Âge d'homme, 1982, 357 p.

VOLTAIRE, *Candide*, traduit du français par John BUTT, Baltimore (Maryland, É.-U.), Penguin Books, 1947, 144 p.

———, *Candide*, traduit du français, introduction de Philip LITTEL, New York, Random House, The Modern Library, 1951, 236 p. (Nom du traducteur non mentionné.)

WHORF, Benjamin Lee, *Language, Thought, and Reality; Selected Writings* (sous la direction de John B. CARROLL), Cambridge (Massachusetts, É.-U.), M.I.T. Press, 1956, 278 p.

———, *Linguistique et Anthropologie*, traduit de l'anglais par Claude CARME, Paris, Denoël, 1969, 231 p. (Traduction du précédent.)

The Writings of Voltaire, New York, Wm. H. Wise, 1931, 4 vol. en un. (Nom du traducteur non mentionné.)

INDEX DES NOMS

INDEX DES PRINCIPAUX TERMES TECHNIQUES

TABLE DES MATIÈRES

Cet ouvrage, portant le numéro un
de la collection « Traduire, Écrire, Lire »,
publiée aux Éditions du GREF,
a été composé en caractères Goudy corps 11
par Accurate Typesetting Limited
à Markham (Ontario)
et achevé d'imprimé
sur papier sans acide Warren Old Style
le vingt-huit février mil neuf cent quatre-vingt-sept
sur les presses de l'Imprimerie Gagné
à Toronto.